05/05

Elle voulait toucher le ciel

Yves VIOLLIER

Elle voulait
toucher le ciel

EDITIONS V.D.B.

MEDIATHEQUE ARAGON
2, Av. Rabelais
94120 FONTENAY/SOUS-BOIS
Tél. 01 43 94 11 55

Vous désirez recevoir notre catalogue…
Vous pouvez nous joindre
à l'adresse ci-dessous :

EDITIONS V.D.B.
Les Restanques
F.-84210 LA ROQUE-SUR-PERNES
e-mail : editionsvdb@wanadoo.fr

Vous pouvez également visiter notre site :
http://www.editionsvdb.fr

I

Le toit

1.

Depuis combien de temps ai-je conscience d'être une infirme ? Je n'ai jamais prononcé sans souffrir deux mots qui se comprennent dans toutes les langues, aussi simples qu'un cri : maman, papa. Rien qu'à les écrire aujourd'hui, j'éprouve malgré moi le vertige du marcheur au bord du précipice.

Ma mère et mon père de remplacement — Dieu les bénisse ! — m'ont enlevée à l'Assistance publique contre une petite pension et des garanties de l'assurance sociale. Ils m'ont aimée. Cet amour de remplacement ne se compare pas à la joie d'un enfant courant se blottir contre la vraie poitrine de sa vraie mère.

Mon enfance n'a été bercée que de fausses tendresses, de baisers volés. Quand la compassion s'en mêlait, j'en effaçais, d'un geste vif, les traces sur mes joues.

J'ai pris conscience de mon dénuement très

tôt, quand ma conscience était encore dans les limbes. Je me sentais coupable d'une faute qui remontait peut-être avant ma naissance. Mon péché était d'être née. J'ai fait pipi au lit jusqu'à l'âge de sept ans. Mes draps sur le fil manifestaient au monde, pour ma plus grande honte, mon incapacité à me tenir proprement. Avant de m'endormir, dans la hantise de me réveiller toute mouillée, je restais longtemps les yeux ouverts dans le noir. La maison dormait. Papa et maman Paillat ronflaient dans la chambre, et je cherchais parmi les ombres qui fourmillaient au plafond. De là datent mes premières insomnies.

Mais je mélange déjà tout. J'ai pris la plume pour vous, Catherine et Jacques, mes chéris, afin de relier les fils que vous avez dénoués. Mon fauteuil est profond, un peu trop par rapport à ma table. Je l'ai surélevé avec un coussin, qui m'indispose, et tire-bouchonne. Les accoudoirs me gênent un peu. Je m'adapte. Je n'étais pas une forcenée de l'écriture. Quand vous m'avez vue assise, un crayon à la main, c'était pour remplir d'obligatoires formulaires administratifs. J'étais toujours en mouvement, et je ne m'imaginais pas, un jour, rivée à mon fauteuil et me coltinant cette entreprise de mémoire. Comme quoi tout est possible, le destin nous réserve des surprises. Le plus fort, c'est que je vais y prendre du plaisir, je crois. Je ne suis pas étrangère à ce qui se passe tandis que j'écris. Je vaque à mes tâches ménagères. La fenêtre, en face de ma table, ouvre sur la vallée. Je regarde passer les nuages. Je vais voir défiler les saisons. Revenir sur le passé va me rendre, semble-t-il, le présent plus précieux. J'ai conscience de ne pas avoir le droit, maintenant, de gaspiller une seconde. Quand je suis lasse d'être accoudée, quand j'ai mal au dos, je prends ma feuille sur mes genoux.

Je me rappelle le beau soleil jaune sur les tilleuls de l'allée de Tourtras, il y a deux ans. C'était en avril.

On se serait cru en été… Bernard avait apporté le panneau de déclaration d'ouverture du chantier. Il l'a appliqué contre le portail en cherchant les clous dans sa poche.

— Tu veux enfoncer les pointes ?

Il m'a passé le marteau. Je ne suis pas très adroite. Le bois du vieux portail, curé jusqu'à l'os par des décennies de pluie, de soleil et de gel, a résisté. J'ai plié un clou, puis deux. Mais chaque coup de marteau retentissait en moi comme dans une maison vide. Enfin j'ai frappé le dernier coup. Nous nous sommes reculés pour contempler notre ouvrage.

— Voilà, c'est parti. On ouvre ?

Bernard pousse la porte piétonnière, manœuvre la crémone du portail. Je vais reprendre ma place sur la remorque du tracteur de Philippe, le frère de Bernard, qui sourit au volant, et nous effectuons notre entrée émue — est-ce que je peux écrire triomphale ? — dans ce qu'on appelle l'avant-cour du logis. Il y a là, à gauche du portail, la belle maison à étage des domestiques ; quatre grandes pièces aux ouvertures à parements de briques avec, dans leur prolongement, les écuries, les porcheries, les étables et, perpendiculairement, en L, sur la pente, les chais et la distillerie. À droite du portail on trouve le hangar, la grange, et la haute tour du pigeonnier avec son chapeau conique de tuiles rouges. C'est pitié de voir tout ça vide, à l'abandon. Les buis et la charmille sont dévorés de ronces. Les hautes herbes ont colonisé la cour que nous traversons sur le petit chemin tournant qui descend vers la grille du logis. La grande échelle brinquebale à l'arrière dans la remorque, et mon cœur bat. Car l'imposante bâtisse rectangulaire dresse sa haute silhouette fière devant nous. Elle est grise, vieille. Elle aligne ses huit fenêtres à chaque étage, les quatre du milieu, superposées, à croisées à meneaux.

Elle transpire la noblesse malgré son abandon, ses volets clos au bois aussi curé que celui du portail. La glycine s'est étirée sur ses murs et a gagné jusqu'aux fenêtres de l'étage.

Je n'arrive pas à réaliser que tout ça est enfin à nous. Je l'ai tellement voulu, tellement rêvé. Cela me semblait tellement impossible. Et voilà… Comment, moi, la petite fille de l'Assistance, puis-je dire : « Je suis ici chez moi ! » ?

Papa Paillat, mon père adoptif, a eu un fox-terrier pour la chasse, que j'aimais bien, Pipo. Têtu comme une mule, il se couchait au milieu de la route, certains jours de soleil quand le macadam était chaud. Les voitures le klaxonnaient. Il tournait vers leurs conducteurs, qui baissaient leurs vitres, un regard de seigneur lourd d'indifférence et de mépris, et les obligeait à le contourner jusqu'à ce que, las des klaxons et des cris, nous nous décidions à aller le chercher. Il grognait comme pour mordre, à notre approche, et se laissait transporter sans faire l'effort de lever une patte.

Il a connu une mort tragique lors d'une battue au sanglier après s'être jeté sur le flanc d'un vieux solitaire noir où il a enfoncé ses crocs, un matin d'hiver. Le sanglier a fui, couru à travers bois, s'est débattu dans les fourrés.

Pipo ne l'a pas lâché. Quand une chevrotine a enfin couché le cochon sur les feuilles, longtemps après, on a ramassé Pipo, mort, les crocs encore refermés sur sa proie. Je suis comme Pipo. Je viens de refermer mes dents sur mon os, et je ne le lâcherai pas. Nous l'avons trop attendu, trop espéré.

Mais il reste tout à faire, tout à remettre en état, et la tâche est énorme. L'épaule de Bernard, qui m'a rejointe sur le plateau de la remorque, s'appuie contre la mienne. Philippe stoppe devant la grille. Bernard se précipite pour ouvrir. Philippe stationne le tracteur sous le magnolia de la cour du logis.

Nous descendons vers les balustres de pierre du balcon suspendu au flanc de la maison. Le parc, en contrebas, est encore plus à l'abandon que la cour des domestiques. On n'y distingue plus une allée. Tout est noyé sous une végétation sauvage. La cime du chêne d'Amérique, et des arbres trop nombreux qui ont poussé en désordre, dont certains ont été couchés par la tempête, masquent la vue sur la vallée.

— Eh bien, quel boulot ! commente Philippe. Vous ne pourrez y aller qu'au coupe-coupe !

— On y arrivera, répond Bernard. Chaque chose en son temps.

On voit cependant, par une trouée, crépiter le

soleil sur la rivière et, à l'extrémité du cirque des collines, le champignon blanc du château d'eau de Bouteville scintille, arrosé de plein fouet par la lumière.

— Je peux vous donner un coup de main, propose encore Philippe à son frère.

— Tu nous prêtes ton tracteur, c'est déjà beaucoup. Laisse-nous nous débrouiller tout seuls. Quand on aura besoin, on te fera signe.

C'est moi qui ai demandé à Bernard :

— Ne laisse pas ton frère nous aider. Je veux qu'on fasse ça, autant que possible, toi et moi. Je veux que ce soit notre maison.

Je suis comme ça, moi, vous le savez les enfants, très exclusive, très sauvage.

— Eh bien, je vous laisse, dit Philippe en enfonçant ses mains dans ses poches. Bon courage !

— Merci.

Nous remontons vers le tracteur. Bernard m'appelle pour l'aider à porter l'échelle double. Philippe se retourne, la casquette sur la tête, hésitant à répondre à l'appel de son frère. J'empoigne les barreaux. Philippe s'éloigne. Bernard déploie l'échelle contre la façade côté cour.

— Tu veux toujours monter ? C'est haut…, plaisante-t-il.

Les pattes-d'oie plissent les coins de ses paupières. Il sait que je crains le vertige. Je hoche la tête. Il gravit les premiers échelons en souriant encore.

— Attends que j'aie dégagé un peu. Tu me rejoindras quand il y aura de la place pour deux.

Un premier couple de tuiles décollées au bord de la génoise vole sur le plateau de la remorque où elles explosent comme du verre. J'attends au pied de l'échelle, en jean et chemise de travail. C'est vrai que le logis me paraît maintenant plus imposant encore que je l'imaginais. Les hauteurs sous plafond des constructions d'autrefois n'ont rien de commun avec celles d'aujourd'hui. Au-dessus de la cave et du rez-de-chaussée éclairé par de hautes baies aux linteaux en arc, il y a ce qu'on appelle un étage à surcroît qui sert de grenier.

Bernard, assis sur la chanlatte au bord du toit, m'appelle :

— Tu peux venir, maintenant. Va doucement.

Bien sûr que j'y vais doucement ! J'ai le cœur qui palpite tandis que je me cramponne aux barreaux. L'alu fléchit sous mon poids et chacune de mes cellules frissonne au balancement de la souple échelle. Mais je ne laisserais ma place à personne, en ce grand jour. La moustache de Bernard se rapproche. Il me tend la main, m'installe auprès de lui. Je suis à hauteur de ciel, à hauteur de cime du cèdre, le grand arbre du jardin de derrière qu'on voit de partout quand on découvre Tourtras. Je lance à mon tour des paquets de tuiles en évitant de regarder en bas.

2.

Le lendemain matin un certain malaise m'a angoissée au réveil, que j'ai attribué aux courbatures et aux douleurs dans les genoux après une journée à quatre pattes sur la toiture. Je me suis rapprochée de Bernard, et me suis blottie contre sa large poitrine soulevée par un sommeil paisible.

Je respire encore, tandis que j'écris, l'odeur de cave humide de notre petite chambre qui ne voyait jamais le soleil dans la venelle de Tourtras. Vous ne l'avez pas oubliée, n'est-ce pas, les enfants ?

Le jour blanchissait les vitres. Il allait être sept heures. J'ai entendu le coucou. On l'aurait dit posé sur les fils de la cour. Le cœur m'a sauté dans la poitrine. Je ne supporte pas les coucous. C'est plus fort que moi, je redeviens petite fille. Je me retrouve le cartable dans la main, une pèlerine bleue, que je n'aimais pas, sur les épaules. Et les garçons des villages d'Angles et du Moulin-Roux me crient :

— Coucou ! La petite Coucou ! T'es un coucou ! T'es pas chez toi ! Tu niches dans le nid des autres !

Le réveil allait sonner. Bernard s'est réveillé, a grommelé :

— Quelle heure est-il ?

Le coucou a continué de chanter. Est-ce qu'un coucou chante sur les fils ? Je me suis levée, j'ai ouvert la fenêtre et j'ai frappé dans mes mains pour le chasser. J'ai senti sa présence comme un mauvais présage, sans trop savoir de quoi. Le coucou annonce le printemps, les beaux jours, mais son chant a toujours été pour moi une insulte.

Nous sommes partis à pied vers notre chantier un peu après. De notre venelle au logis de Tourtras il n'y a guère plus de cinq cents mètres. Le village de Tourtras est un rassemblement d'une dizaine de grosses maisons de propriétaire en solides grosses pierres de Saint-Même auprès de la route qui va de la vallée de la Charente au bourg de Saint-Gimeux, sur le plateau, à travers les vignes. Coincées entre ces importantes constructions, il y en a de plus modestes de journaliers, de domestiques, comme la nôtre dans notre venelle. Et puis, dominant le tout, au bord du plateau, le logis, notre logis maintenant, gardé par son mur d'enceinte.

Il faisait le même beau temps que la veille, avec un soleil franc comme l'or. Bernard sifflotait, sa canadienne sur l'épaule. L'oiseau au vol lourd, qui pond dans le nid des autres, a enfilé l'allée des tilleuls qui va de la route au porche de notre entrée en criant : coucou ! coucou ! Et j'ai découvert, là-bas, luisant au soleil, coincé sous la main de fatma du heurtoir, un rectangle de papier blanc.

La vague appréhension de mon réveil est revenue, l'intuition que tout n'allait pas se passer comme je l'avais rêvé, que même quelque chose de grave commençait. C'était une enveloppe. Des caractères découpés et collés en composaient l'adresse. Et elle était adressée à *Mademoiselle Renée Duval, Passage à niveau 36, 16120 Martignac.*

On ne m'a pas appelée Duval depuis notre mariage, et peu dans le pays savent que la maisonnette de garde-barrière de maman Paillat porte ce numéro de passage à niveau.

Je me suis sentie pâlir, bien sûr, en lisant ces mots. Je n'ai pas décacheté. J'ai tendu l'enveloppe à Bernard qui a sorti son couteau de poche, a lu très vite, et hésité à me donner la feuille de papier glissée à l'intérieur.

Les mêmes caractères, découpés et collés, remplissent la page et répètent sur toutes les lignes :

fille de Boche fille de Boche fille de Boche fille de Boche fille de Boche fille de Boche

Un haut-le-cœur me lève la poitrine. Un camion passe lentement au bout de l'allée. Nous attendons la livraison des tuiles et des chanlattes neuves pour le logis.

— Si nous rentrions ? murmure Bernard. Il pousse la porte piétonnière. Je me laisse tomber sur le banc de pierre à côté du porche.

Les lignes dansent devant mes yeux mouillés.

Ces choses-là ne s'oublient jamais. Elles vous collent à la peau et vous poursuivent. Il y a quarante ans que personne ne m'a appelée comme ça. Et les souvenirs des mauvais jours affluent. Bernard regarde ses poings sur ses genoux.

— Je ne suis pas sûr que ce soit si grave que ça, dit-il. C'est probablement une plaisanterie de sale gosse…

Je lève vers lui des yeux indignés.

— Une plaisanterie de sale gosse ! Ça n'a pas été fait par un gamin. Tu as vu comme c'est découpé et aligné…

J'examine la lettre que je retourne entre mes doigts, respire l'odeur de la colle sur le papier.

— Un gamin ne connaît pas mon nom de jeune fille et mon ancienne adresse au passage à niveau.

— Tu as raison. C'est peut-être quelqu'un de jaloux de notre héritage. Si je le tenais, ce salaud…

Il serre le poing.

Le logis dresse son toit dégarni en contrebas de l'avant-cour des dépendances. Une palombe se pose sur la chanlatte grise du faîtage, aussitôt rejointe par une autre. Elles se rapprochent plume contre plume. Le grondement d'un moteur s'élève dans l'allée. C'est le camion du livreur. J'enfouis la lettre dans ma poche. Je ne veux pas qu'on me voie avec les yeux rouges. Je me lève, m'éloigne et me dissimule dans le renfoncement de la tour du pigeonnier, cachée par les hautes herbes.

Le livreur monte sur la remorque de son camion pour décharger les palettes de tuiles avec l'élévateur.

Est-ce que la pensée m'effleure de tout abandonner ? En tout cas je la repousse aussitôt. On ne va pas s'arrêter à cause de la lettre d'un imbécile, alors que nous touchons ce que j'appelle le but de toute une vie. Je déplie pourtant la lettre comme pour m'assurer que je n'ai pas rêvé. *Fille de Boche fille de Boche...*

Je me croyais débarrassée de cette étiquette depuis longtemps. J'ai porté ce fardeau jusqu'à ma rencontre avec Bernard. À chaque fois que le vieux Simonneau me croisait à vélo sur la route qui va de la maisonnette au bourg de Martignac, il lâchait son guidon et levait la main pour me saluer :

— Bonjour, Fridoline ! Comment vas-tu, Fridoline ?

C'était sa manière de m'appeler fille de Boche. J'avais sept ans. Le vieux viticulteur bonasse à pantalon de velours me dévisageait d'un air moqueur. J'aurais aimé lui cracher à la figure. Je me sauvais en pleurant. Je savais qu'il y avait des probabilités pour que je sois fille de Boche. Maman et papa Paillat ne l'avaient jamais nié. Un jour que papa m'a trouvée en larmes, il a essayé de me consoler en me disant :

— Et alors ? Même si c'était vrai ?... Si tu entends quelqu'un t'appeler fille de Boche, tu me le diras, j'irai lui frotter les oreilles.

Je ne pouvais pas lui donner tous les noms du village, parce que même les regards de ceux qui se taisaient en disaient long.

Dès que j'ai su très tôt, par maman Paillat,

23

la vérité sur les bébés, j'ai fait le fameux dé-
compte, que j'ai répété plusieurs fois avec vous.
Je suis née le 25 mars 1945. J'ai alors été con-
çue en juillet 44. Les Allemands étaient encore en France.

Cette lettre anonyme ressuscite les mauvais
jours du passé. De vieux fantômes me hantent
et me font frissonner. En ce moment pourtant
le soleil incendie le ciel. Je retiens une plainte
de lapin pris au collet.

Qui a pu s'acharner à aligner ces caractères ? Pourquoi ? C'est sûrement une affaire de
jalousie. Qui ? Quelqu'un à qui nous disons
bonjour tous les jours ? La vieille Marie Roy
s'en allait tout à l'heure, cahin-caha, vers son
jardin, la bêche sur l'épaule. Elle nous a demandé :

— Alors, vous allez le remettre à neuf, ce
logis ?

C'est dommage que ça ne soit pas possible
pour les vieilles bonnes femmes !

Bernard lui a répondu par une plaisanterie.
La voiture de la jeune infirmière de la maison
neuve, qui accompagnait ses enfants à l'école,
est passée. Nous nous sommes salués. Ce qui
est terrible avec les lettres anonymes, et leurs
auteurs le savent, c'est qu'elles vous amènent
à soupçonner tout le monde.

Je ne me laisserai pas aller sur cette pente. Du moins pour le moment.

Je m'aperçois que j'ai repris un geste d'autrefois : je me suis accroupie, et j'ai ramassé une poignée de cailloux que je lance un à un dans l'herbe. Nous faisions cela dans la cabane que nous avions construite au bord de la voie ferrée parmi les acacias, petit Maurice et moi, lorsque nous avions sept ans. Il était orphelin, et sa tante, la sœur de maman Paillat, l'élevait. Mais elle ne cachait pas sa préférence pour ses propres enfants. Un jour il m'a dit :

— Je préférerais être de l'Assistance. Au moins vous êtes tous pareils. Pas moi avec mes cousins et cousines.

Nous lancions des pierres sur le ballast.

Bernard me retrouve comme ça. Il s'accroupit et me retire les cailloux des mains. Il me sourit.

— Donne-moi la lettre. Nous allons oublier ces bêtises.

— Tu parles bien, toi !

Mais je lui donne la lettre. Il la déchire, s'acharne, la découpe en mille morceaux, qu'il lance dans le soleil.

— Voilà ce qu'elle est devenue ! dit-il. Qu'est-ce que tu fais ? Tu viens travailler là-haut avec moi ?

— Je ne sais pas si j'en ai encore le courage.

Il suce les poils de sa moustache qui lui bouclent dans la bouche.

— Rentre. Occupe-toi. N'attache pas plus d'importance qu'elle ne le mérite à cette bêtise. Ce serait faire trop d'honneur à son auteur.

3.

Quand Bernard est revenu à midi, le déjeuner n'était pas prêt. Cela m'est rarement arrivé. Même clouée entre les draps par une mauvaise grippe ou une angine, j'ai commandé la cuisine de mon lit. Je me levais pour mettre les casseroles sur le feu.

À cause de ma situation, sans doute, j'ai toujours respecté le devoir sacré de mère nourricière. Même avant votre naissance, sitôt notre mariage, j'ai pris plaisir à nourrir Bernard. J'ai rêvé des belles tablées des grandes familles rassemblant les grands-parents, les oncles, les cousins. J'ai aimé recevoir vos amis. Je suis heureuse quand vous venez nombreux. Je me sens capable de préparer toute seule à manger pour un régiment. Sans me vanter, je suis, je crois, mère en cuisine. C'est aussi mon péché. Je suis gourmande, et suis devenue un peu trop ronde. À notre époque de femmes anorexiques, ce n'est pas une qualité, même après cinquante ans. J'ai peut-être la manie de soigner les chagrins avec un surcroît de cognac et de pineau dans la casserole…

Bernard sentait le bois, la poussière, la sciure. Il s'est assis à côté de moi. Les larmes ont à nouveau brouillé ma vue, malgré moi.

— Le repas n'est pas prêt, excuse-moi.

Je me trouvais stupide d'étaler ma faiblesse devant mon mari. Il a frotté sa moustache râpeuse contre ma joue mouillée.

J'avais disposé vos photos, Catherine et Jacques, près de la mienne et du miroir. Et j'interrogeais vos visages, et le mien. Je m'épiais dans la glace et je recherchais, dans le visage actuel, la Gretchen que je croyais gommée par l'usure du temps. Bien sûr les traits s'étaient alourdis. Des rides creusaient les coins des yeux. J'avais coupé mes cheveux. N'empêche, je portais les marques d'une fille de l'Est, et je les retrouvais chez vous.

Quels inconnus dissimulent nos prunelles claires ? Les autres connaissent leurs origines, ils savent. Pour eux il n'y a pas de mystère.

Je m'en voulais de vous avoir communiqué ce teint de lait qui attrape facilement bleus et coups de soleil, ces chevelures fauves, ces traits flous et rêveurs qui ne sont pas d'ici.

Quand votre grand-mère, ma belle-mère, a découvert votre peau rose et vos yeux bleus dans votre berceau, elle a déclaré la bouche pincée :

— Personne n'a les yeux bleus dans notre famille !

Je lui ai répliqué :

— Cela veut dire qu'ils ne vous ressemblent pas.

Vous ne me ressemblez pas non plus, puisque mes yeux sont vert turquoise. Je n'ai jamais aimé mes yeux trop vifs, trop verts, à reflets de soufre, moi qui ai toujours souhaité passer inaperçue. À cause d'eux, inconsciemment sans doute, quand j'étais petite, je faisais tout pour m'enlaidir. Je salissais mes vêtements propres. Je marchais dans la boue avec mes chaussures blanches. Je dénouais les longues nattes de cheveux patiemment tressées par maman Paillat, le dimanche. J'en récoltais des punitions.

Je vous ai transmis aussi ce nez trop long, trop sensible, animé comme un compteur geiger par le moindre mouvement d'odeur et d'humeur. J'estime défaut ces mouvements qui révèlent mes perceptions. Je me sens victime de cet odorat développé qui me montre la truffe relevée aux aguets de tous les courants d'air.

Heureusement, et cela m'a rassurée, vous avez pris, en grandissant, des traits de votre papa. Vos cheveux ont bruni, vos visages se sont affinés, votre bouche a paru plus mince. Je n'ai pas aimé non plus mes lèvres charnues trop ourlées, trop gourmandes.

— Bouche de négresse ! sifflaient les filles à l'école.

Bouche de Boche. Je ne me suis pas aimée.

Bernard, qui avait compris, a retiré doucement photos et miroir de la table en murmurant :

— Tu te fais mal.

Puis il a demandé :

— Est-ce qu'on mange ?

— Tu as faim ?

— Bien sûr !

J'ai mis nos assiettes sur la table. J'ai tourné la viande en train de frire dans la poêle. Il s'est approché, la main sur mon épaule.

— C'est toujours Renée Duval que j'aime, même si elle s'appelle aujourd'hui Renée Villebois ! Je me suis laissée aller contre sa poitrine.

Je sanglote et savoure en même temps la tendresse de mon mari. Il essuie mes larmes avec sa serviette. Nous nous asseyons et je m'oblige à manger sous son regard qui m'encourage et me sourit. Quand nous avons fini, il me demande :

— Ça va ? On essaie d'oublier ?

Je hoche la tête, souris.

— On retourne à notre chantier, dit-il. C'est bien toi qui voulais que nous remettions le logis en état, rien que nous deux…

Nous descendons vers la maison. Quelques nuages de beau temps sont suspendus dans le ciel bleu comme des ballons. La lumière vive blesse mes yeux clairs. Nous sommes venus là, ce matin, et il me semble voir autrement la cour, le logis aux volets clos, la vallée. Il y a eu, entre les deux, ces mots qui m'ont blessée. Je crois que mon attachement au logis est encore plus farouche. J'aime ses murs sales, ses volets délavés. Je porte, comme tout à l'heure, mes tennis, mon jean, et cette chemise écossaise qui me fait grosse la poitrine et les épaules charnues.

Bernard empoigne le pied de l'échelle. Vous connaissez votre père. Il n'est pas d'un naturel bavard. Depuis que nous sommes ensemble, il a toujours été le compagnon rassurant de tous les moments difficiles. Moi je suis impulsive. J'ai tout de suite la barre creusée sur le front, je m'emballe, je me cogne. Je me méfie comme de la peste de ces élans qui me soulèvent et me viennent de je ne sais quelle part sombre de moi-même.

Il a fini de débarrasser la toiture de ses dernières vieilles tuiles et se propose de monter des lattes neuves. Il déplace l'échelle sur le trottoir au bord de l'à-pic. Les érudits locaux ont écrit que le logis appartenait aux Sainte-Hermine au XVe siècle. Les Templiers auraient ensuite investi cette forteresse dominant la vallée et le fleuve. La cave voûtée et le soubassement du logis dateraient de cette époque.

— Si tu préfères rester en bas, cet après-midi..., me dit-il.

À quoi je servirais, alors ? Je le défie des yeux. À mesure que nous approchions du chantier, j'ai senti mes forces revenir. Depuis mes premiers jours les épreuves ont trempé ma résistance.

— Monte ! lui dis-je. Je te suis !

Il tourne le regard vers moi. Sa moustache, qui lui mange le visage, et ses yeux, rient. Quand je l'ai rencontré pour la première fois, je n'ai vu que le velours de ce sourire dans ses yeux marron. Il ressemblait alors à Yves Montand au volant de son camion dans *Le Salaire de la peur*. Il est plus proche maintenant de

Burt Lancaster dans *Le Guépard,* pas seulement à cause de la moustache. Il charge un paquet de planches sur son épaule.

— Tu prendras la scie et les marteaux.

Je suis son ascension tranquille.

Là-haut, à cette heure-là, le spectacle est grandiose. Le moutonnement des collines forme l'arc d'un cirque où sinue la Charente. Je compte six clochers. Ceux de Martignac, Saint-Simon, Moulidars, Graves, Saint-Amant, Vibrac, parmi les bataillons de peupliers en pelotons serrés au bord du fleuve. Le vent les caresse. Les vignes alignent leurs cordons en guirlandes à travers les collines.

Non, je ne renonce pas. Nous avons rêvé d'entreprendre la restauration du logis, Bernard et moi. En le reconstruisant nous avons la conviction de nous construire. Je veux vous offrir un nid comme je n'en ai pas eu, mes enfants, une forteresse de rêve où vous pourrez conduire les vôtres, et leur dire : « C'est chez nous ! » C'est de la folie sans doute, par les temps qui courent, où les gens se flattent d'être de nulle part, et sans cesse déménagent. Mes origines incertaines y sont sans doute pour quelque chose. J'ai toujours rêvé du lieu clos où se fomentent les origines, et cet endroit du mystère m'a toujours été refusé à moi. J'en ai partagé la passion avec Bernard. Nous voulons Tourtras pour vous en transmettre l'héritage. Et puis il est notre revanche.

Nous l'avons reçu, vous le savez, il y a presque trente ans. Tu avais deux ans, Catherine. Toi, Jacques, tu n'étais pas né. Nous n'étions pas encore installés dans la venelle que nous avons habitée jusqu'à présent. La grand-tante de Bernard avait déserté le logis dix ans plus tôt, à la mort de son mari, pour s'installer dans sa maison de Châteauneuf, plus près des commerces et de la « civilisation », disait-elle. Deux ou trois fois par an, pendant dix ans, les paysans qui faisaient ses vignes sont venus faucher l'herbe du parc, tailler les haies. Nous ne nous attendions pas à recevoir une convocation du notaire pour l'ouverture officielle de son testament.

Le père de Bernard s'était opposé à notre mariage, parce que j'étais de l'Assistance et ne possédais rien que l'affection de mes parents d'occasion, alors que le pays regorgeait de filles de famille qui n'auraient pas rechigné à épouser un Bernard Villebois. Quelques journaux de vignes valaient de l'or avant la crise. Une fille de propriétaire aurait immanquablement apporté des terres avec elle. La vigne se serait ajoutée à la vigne. Le père Villebois s'en serait occupé pendant que son fils conduisait les trains.

Bernard était, en effet, entré aux chemins de fer par passion et avait laissé la propriété à son frère pour conduire sur la ligne Angoulême-Royan. Sa nomination sur la ligne Paris-Bordeaux était imminente.

Son père est mort dans sa vigne un matin d'hiver peu après notre mariage. Bernard devenait donc l'héritier naturel de sa grand-tante Jeanne. Mais Jeanne partageait l'opinion de son père à mon sujet.

— Qu'est-ce que tu t'embêtes à t'amouracher d'une Bochette tombée du nid ! lui a-t-elle reproché crûment, alors qu'il était son filleul. On a déjà accepté que tu partes aux chemins de fer. Pense à l'avenir !

Ces derniers mots laissaient entendre qu'elle en tiendrait compte au moment des partages. Elle n'est pas venue à notre mariage et n'a pas offert de cadeau à son filleul. Son attitude s'est infléchie au fil du temps. Elle n'a plus feint de ne pas nous voir quand nous nous croisions à Châteauneuf.

Un jour, dans la rue, elle a refermé sa main rêche sur mon poignet et m'a entraînée vers sa maison de la rue de la Poste.

— Viens, petite, je vais te donner quelque chose qui était destiné à celle qui épouserait mon filleul.

Elle secouait sa tête frisée de vieille coquette en s'appuyant sur sa canne. Elle m'a assise dans son salon. De belles gravures des remparts, de la cathédrale, du port de l'Houmeau à Angoulême, étaient accrochées sur ses murs. Elle avait donné tout ça en viager à ses voisins à condition qu'ils la soignent et lui préparent à manger, et elle menait sa vie de vieille enfant gâtée par l'existence. Elle est revenue avec un écrin de cuir noir gravé. Douze cuillers à café y étaient alignées sur le vieil or de la feutrine. Elle m'en a tendu une.

— Elles sont en argent. Mon père les a achetées place Vendôme avec ses premiers sous des travaux du canal de Suez…

Il devait sa fortune au canal où il était ingénieur, et s'était ainsi offert le logis de Tourtras. À cette époque-là, on a appelé le logis « le château de l'ingénieur ». Un blason orne les manches des cuillers. La grand-tante me l'a montré. Elle a ajouté, après m'avoir servi un petit verre de cassis :

— La ménagère est complète. Il y a encore les cuillers à soupe, les fourchettes, les couteaux, les fourchettes à dessert. Chaque série

36

a son écrin. Je t'en donnerai un à chaque fois que tu viendras me voir, petite.

Elle souriait de toutes ses vieilles joues poudrées. J'ai failli jeter l'écrin et les cuillers dans la première bouche de caniveau. Après m'avoir méprisée, la vieille tante me marchandait son affection. La grosse voisine « viagère » sur le seuil de sa porte a retenu mon geste. Les bras sous sa poitrine, elle fixait l'écrin de ses yeux ronds avec la férocité d'une poule à qui on a volé un ver. J'étais trop contente de provoquer sa colère pour ne pas gâcher mon plaisir en le répandant dans le caniveau. Mais je ne suis pas revenue chercher mes petits cadeaux chez Jeanne.

Lorsque nous sommes entrés dans le cabinet de maître Hervieu, le matin du rendez-vous, l'oncle Eugène et sa femme se sont retournés, aussi surpris que nous de nous trouver là.

La tante a lancé vers son mari un regard qui voulait dire : « Qu'est-ce qu'elle fait là, celle-là ? » Le notaire nous a fait asseoir dans ses fauteuils de tapisserie.

— Mesdames, messieurs, a-t-il commencé en écartant les pans de sa veste sur la chaîne de montre qui barrait son petit gilet, puisque vous êtes tous là, nous allons procéder à l'ouverture du testament de votre tante et grand-tante Jeanne-Louise-Irène Fauchard, née Villebois…

Il a marmonné les formules de charabia juridique, puis levé les yeux par-dessus ses verres demi-lune tandis qu'il prononçait les paroles de la grand-tante : « Je lègue à mon neveu Eugène Fauchard, et à mon petit-neveu Bernard Villebois, à parts égales, l'ensemble des bâtiments, maisons, dépendances, meubles et objets, du logis de Tourtras, et les terres qui y sont rattachées. La condition est que ce bien devra demeurer indivis. »

La stupeur a paralysé nos deux couples pour des raisons contraires. Nous avions répondu à la convocation du notaire sans illusion. Philippe, qui espérait quelque chose, n'était même pas convoqué. Une abeille a bourdonné contre la vitre. Un tic nerveux a agité la tête de la tante tandis que le notaire énumérait par le détail les bâtiments du domaine. Une goutte de sueur roulait sur la figure rouge brique de l'oncle Eugène. Moi, j'aurais bien éclaté de rire.

N'oubliez pas que c'était il y a trente ans. Je n'avais pas ton âge, Catherine. Nous étions toujours des parias. On m'habillait encore de noms d'oiseaux. Tout d'un coup nous étions propulsés propriétaires de l'une des plus belles maisons du pays, que les anciens appelaient toujours le château de l'ingénieur. L'oncle a grommelé.

— Comment ça va se faire, cette histoire d'indivis ? Ça n'a pas de bon sens !

— Indivis, cela veut dire que vous pouvez jouir l'un et l'autre de la propriété sans la partager.

— Je le sais !

L'oncle avait l'habitude des affaires. Il était le maître de l'une des plus grosses « benasses » de Bouteville. La grand-tante avait tout préparé pour sa succession. Elle avait vendu les vignes dépendant de sa maison de Châteauneuf et provisionné cet argent pour le paiement des droits de Tourtras. Maître Hervieu a annoncé un codicille au testament et ouvert la porte matelassée de son bureau. Son clerc est entré les bras chargés d'un échafaudage de cinq écrins noirs.

— Votre grand-tante m'a confié ces boîtes pour vous. Elles vous étaient destinées, et vous n'êtes pas venue les chercher…

J'ai rougi. Je regrette aujourd'hui de ne pas être allée rendre visite à la grand-tante. Son invitation n'était pas dictée par le seul intérêt. Le notaire a relevé les fermoirs. Les alignements de couverts ont étincelé dans le bureau. L'oncle et sa femme avaient dépassé les limites du supportable. Ils se sont levés. Elle serrait son sac à main contre sa poitrine, et la rose sous son menton tremblait. Il s'est tourné brutalement vers Bernard :

— Vous n'êtes pas encore chez vous à Tourtras ! Je vais appeler mon avocat.

Dans notre joie naïve nous imaginions un arrangement possible. Tu t'en souviens, dis-tu Catherine, nous t'avons emmenée au logis à notre retour de chez le notaire pour tirer des plans sur la comète. Il y avait assez de constructions pour que nous nous installions, l'oncle et nous, sans nous gêner. Nous étions prêts à lui laisser la jouissance du logis, nous satisfaisant des logements et de la cour des domestiques. La vue sur la vallée y est peut-être encore plus belle. Tu courais sur les pelouses.

J'ai rêvé du logis de Tourtras depuis toute petite, quand j'apercevais la tête épanouie du grand cèdre bleu depuis la maisonnette de garde-barrière des Paillat. Il était pour moi comme un château de la Belle au bois dormant, inaccessible. J'ai cueilli une rose et l'ai glissée dans ta pince à cheveux, Catherine. Bernard a dit :

— Peut-être que si l'oncle Eugène vous voyait, il ne serait pas content !

— Il ne peut pas nous empêcher de cueillir une rose chez nous…

Il nous l'a interdit pendant trente ans !

Son avocat nous a offert de racheter notre part, mais nous ne voulions pas vendre. La situation est restée bloquée. L'entrée du logis ne nous a pas été permise de crainte que des objets disparaissent. Tourtras est resté fermé, jusqu'à la mort de l'oncle. Les rosiers sont retournés à l'état sauvage. Les herbes folles, les ronces et les orties ont envahi les cours. Les parterres sont devenus des taillis. Les buissons de groseilles et de framboises ont été la proie des épines noires. Les marrons d'Inde ont germé et pris racine sur les pelouses. La tempête a achevé la destruction, emportant les pommes de pin de l'épi de faîtage de la maison des domestiques, rougissant les cours de débris de tuiles.

J'ai reproché à Bernard de ne pas s'être battu davantage avec l'oncle pour obtenir Tourtras. Nous nous sommes disputés plusieurs fois à ce sujet. J'ai été responsable de ces querelles. Car à mesure que le temps passait, mon impatience grandissait. C'était à peu près à chaque fois la même chose. Bernard se lamentait :

— Qu'est-ce que tu veux faire contre l'oncle ? Le testament nous lie. Il a la loi pour lui !

— Ne dis pas qu'on ne peut rien. Tu ne t'en occupes pas. Si on voulait…

— Tu es plus forte que la loi ?

— On a cédé tout de suite. Toi, aussi bien que moi, on n'a pas assez montré à l'oncle qu'on tenait au logis. Il nous a envoyé un avocat, et qu'est-ce qu'on a fait ?

— Propose-moi une solution ! Je m'en occupe tout de suite !

— Le logis abandonné se détériore tous les jours…

— Tu es toujours plus forte que les autres, toi !

— Oh ! non, je sais que je ne suis pas grand-chose. Mais je te comprends, tu n'as pas voulu une nouvelle guerre avec ta famille. Les relations étaient déjà difficiles à cause de notre mariage…

C'est le genre de réflexion qui envenime la situation.

— Tu dis n'importe quoi ! Tu as voulu déménager. On l'a fait. On s'est rapproché du logis.

— Oui, on est venu dans la petite maison de la venelle, et on s'y est installé provisoirement. On y est depuis trente ans…

D'autres entreraient en rage dans ces circonstances. Bernard serre les dents, son visage se ferme, ses sourcils se rejoignent. Il s'en va bricoler dans son atelier, sans un mot, tout le jour, ou pire, un cri qui me fait mal, puisé jusqu'aux profondeurs de son estomac, jaillit en vibrant de ses cordes vocales :

— Tu n'es jamais contente !

Je sais qu'il n'a pas tort. Je me sens coupable. Je veux le toucher, passer ma main sur sa joue ou dans le pli chaud de son cou.

— Si, je suis contente, excuse-moi.

Il dégage sa tête, accepte ma paix en grognant, s'éloigne.

Nous avons donc acheté la petite maison de la venelle peu de temps après l'héritage. En nous installant là, pensions-nous, nous nous rapprochions. Il nous suffirait ensuite d'un saut de puce pour prendre possession de notre bien. Nous ne nous imaginions pas que nous serions condamnés à souffrir de passer si longtemps devant ces murs et ces volets clos qui se dégradaient. La tante et l'oncle vieillissaient, et nous nous demandions si nous n'allions pas mourir avant eux. Et puis ils sont partis presque en même temps, elle au début de l'année, lui à la fin, sans emporter le logis avec eux. Leurs enfants se sont montrés plus raisonnables. Ils ont préféré nous vendre leur part plutôt que de laisser filer le logis à des Anglais ou des Hollandais. Nous économisions pour ça depuis trente ans.

Accroupie sur le toit je m'efforce d'oublier la lettre. Le mystère de son auteur m'angoisse pourtant. Bernard, qui feint d'être absorbé par son ouvrage, m'observe. Il achève de clouer une planche à un chevron, palpe sa voisine, me montre la poussière de bois dans le creux de sa main.

— On va être obligé de remplacer beaucoup de planches. Nous avons eu de la chance de ne pas passer au travers en enlevant les tuiles. Veux-tu aller me chercher quelques lattes ?

Je descends, charge sur mon épaule. La pile de planches me scie le cou. J'en ai trop pris, peut-être. Ma grand-mère devait transporter des seaux pleins d'eau avec un fléau, ou des montagnes de fagots de bois. L'effort m'allume quelques chandelles dans les yeux. Les oiseaux s'égosillent dans les taillis du contrebas. Bernard vient à mon aide.

— Pourquoi en as-tu pris autant ? Tu voulais tomber ?

J'essuie mon front en sueur.

— Je ne suis pas tombée.

Il hausse les épaules. J'ajoute :

— Quand on se fait mal, on évite de penser.

Il grommelle, les yeux noirs :

— Si tu te fais vraiment mal, tu ne penseras plus du tout !

Son visage est déjà cuit par le soleil. J'appuie la main sur son épaule. Il la hausse pour chasser mon bras. Nous travaillons en silence.

Tu as le même regard sombre, malgré tes yeux bleus, lorsque tu nous rejoins en fin d'après-midi, Jacques. Ta tête bouclée surgit en haut de l'échelle au-dessus du toit et tu l'agites, de mauvaise humeur apparemment, toi aussi.

— Ah ! Enfin ! Je vous cherche depuis une demi-heure. Je suis allé chez l'oncle Philippe, qui m'a dit que vous ne pouviez être que là.

Je regarde ma montre.

— Pourquoi ne nous as-tu pas prévenus ? Nous ne pouvions pas savoir que tu allais venir.

Bernard se tourne vers le soleil qui disparaît.

— Descends avec lui, si tu veux. On va s'arrêter. J'arrive.

— Nous ne mettons pas la bâche ?

Quand un nuage noir a passé dans l'après-midi, Bernard a dit qu'il serait prudent de bâcher. Les rayons du couchant baignent dans une buée rose.

— On verra bien !

Je te tends la joue sur le trottoir, au pied du mur.

— Tu peux quand même embrasser ta mère.

Tu obéis, et lâches avec amertume :

— Il a fallu que vous vous y mettiez tout de suite. Je croyais que nous devions encore en parler, et décider ensemble !

— Parler de quoi ? demande Bernard qui arrive.

La ride que je connais bien, et que je n'aime pas chez moi, creuse ton front lisse de vingt-cinq ans.

— Ton chantier n'est pas aux normes. Tu n'as pas mis de rambarde de protection ! Et tu obliges maman à monter comme ça, là-haut !

— Les rambardes sont obligatoires pour les entreprises. Je suis ici chez moi. Je fais ce que je veux !

— Tu n'as pas le droit de risquer la vie de maman !

— Arrêtez !

Bernard est plus petit que toi. Il s'est un peu tassé avec l'âge. Et puis les fils sont tous plus grands que leurs pères aujourd'hui. Mais il avait ton allure, quand je l'ai connu, dégingandé, vif, et maigre comme un adolescent. Il a épaissi, à consommer ma cuisine. Il frotte ses bas de pantalon blanchis par la poussière. Toi, tu allonges tes grandes jambes sur le chemin de l'avant-cour, lançant en avant ton front frisé, et je cours presque à côté de toi pour te suivre.

— Attends-moi !

Je te prends par le bras.

— Écoute, Jacques, tu n'es pas venu ici pour faire ta mauvaise tête ! Tu es parti à quelle heure de Paris ?

Tu me réponds du bout des lèvres. Nous arrivons à la maison de la venelle. Tu as rangé ton auto blanche sous le cerisier. J'attends que tu sortes tes sacs de ton coffre. Sitôt dans la cuisine, je m'affaire à mes casseroles puisque je n'ai rien de prêt. Bernard allume la lumière, met le couvert. Vous vous asseyez à vos places habituelles à table. Je vous rejoins et, après avoir interrogé Bernard du regard, je raconte notre découverte du matin sous le heurtoir.

— Tu comprends que tes réflexions ne sont pas très bien venues, conclut ton père.

Tu hoches la tête. Et j'ai l'impression que tes yeux fixés sur moi cherchent les traits de fille de Boche.

— J'ai toujours pensé que j'en étais probablement une, dis-je.

— La seule fois où quelqu'un m'a dit ça à l'école, murmures-tu, nous nous sommes battus.

Tu ne m'avais jamais raconté cette anecdote. Une veine se gonfle sur ta tempe. J'apporte le pot de confit et les pâtes sur la table.

— Ta mère ne voulait même pas manger à midi, explique Bernard.

Tu m'interroges tendrement des yeux avec ce bleu d'iris dont je me suis toujours demandé d'où il venait. Et puis ton regard se durcit, et tu marmonnes entre tes dents.

— Ça confirme ce que nous pensons, Catherine et moi : vous avez tort de vous embêter à vous lancer dans ce chantier impossible. Vous ne m'avez pas attendu pour commencer, parce que vous saviez que je ne serais pas d'accord.

— Nous n'avons pas besoin de ton accord, répond sèchement Bernard. Nous sommes là depuis trente ans, à cause du logis. Maintenant que nous l'avons, et que je suis en retraite, nous n'allons pas abandonner parce que ça ne vous plaît pas.

— Je me demande pourquoi vous vous attachez à un pays qui ne vous a pas fait de cadeaux.

— Tu parles de ce que tu ne connais pas, dis-je. Est-ce qu'il n'est pas superbe ce logis ?

Tu ne m'écoutes pas.

— De toute façon il n'y a pas d'avenir en Charente. Les gens ne boivent plus de cognac. Les autres jeunes font comme nous, ils s'en vont. Vendez. C'est le moment. Les Anglais sont prêts à acheter tout ce qui a quatre murs en vieille pierre. Vous avez toujours vécu au fond de votre venelle. Faites comme les autres retraités : payez-vous des voyages, et oubliez le passé !

— Et si ça nous plaît de remettre en état ces vieux murs ? Si ça nous permet de régler des comptes avec le passé, comme tu dis ? Tu ne peux pas comprendre ça ?

Tu rougis.

— Vous n'avez que ce mot-là à la bouche. Moi, ce qui m'intéresse est devant...

— Tu es injuste, Jacques. Je ne crois pas qu'on vous ait embêtés souvent avec nos histoires.

— Vous n'aviez pas besoin d'en parler. Elles étaient là.

— J'aimerais que tu montes avec nous sur le toit, demain matin. Tu verras comme c'est beau.

Tu me fixes de tes grands yeux clairs incrédules.

— Je sais que c'est beau. Je connais la Charente aussi bien que toi, maman. J'y suis né.

La chaleur me monte aux joues.

— Je sais que je suis née nulle part !

— Excuse-moi, ce n'est pas ce que je voulais dire...

— Laissez-nous, ta sœur et toi, remettre cette propriété en état. Si vous pensez que ce n'est pas pour vous, dites-vous que c'est pour nous.

Tu hoches la tête, mais tu continues, plus entêté peut-être que je puis l'être.

— Vous allez vous user. Ce n'est pas ta place, maman, de marcher sur les toits.

C'est trop. La tête me chauffe. Je m'emporte.

— Pourquoi veux-tu décider de ma place ? Tu es parti. Ta sœur aussi. Vous revenez quand ça vous chante, et tu veux nous commander ce que nous devons faire et ne pas faire !

Tu baisses la tête, pioches dans ton assiette, hésites, me regardes. Je détourne les yeux vers ton père. C'est vrai qu'il a vieilli, ses cheveux et sa moustache sont blancs, et cela me fait mal à côté de toi qui es dans le plein éclat de ta jeunesse. Tu as encore du collégien qui nous réclamait un scooter, la force en plus, et même une dureté qui me surprend, que tu as acquise depuis ton départ.

Je m'en veux de m'être emportée. Je me lève pour servir la suite du dîner.

Vous vous êtes enfuis dès que vous l'avez pu pour poursuivre vos études, et vous n'êtes pas revenus. Comme tu l'as dit, vous n'êtes pas les seuls. Les enfants de la Charente abandonnent une terre où les vieilles familles se désespèrent. Les hauts murs des propriétés qu'on n'entretient plus s'effondrent. Les eaux-de-vie invendues noircissent inutilement les toits et les pierres des chais. Là où ils étaient quarante viticulteurs dans une commune, ils ne sont plus que trois ou quatre. Et ceux qui restent se demandent qui continuera après. Les deux garçons de Philippe, le frère de Bernard, n'ont pas voulu prendre la succession de leur père. Il nous a confessé, les larmes aux yeux, qu'il mettait en vente ses vignes. La Charente est toujours aussi belle. En été, les touristes affluent, de plus en plus nombreux, curieux de ses vieilles pierres et de ses églises romanes, ravis de ses melons au pineau et de ses cocktails au cognac. En automne il ne reste que nous.

Heureusement les vendanges se font à la machine. Je ne parle pas de l'hiver. Les bras manquent pour tailler les vignes. L'horizon, bouché de fumées grises, n'existe plus. Les phares des autos éclairent des coteaux qui pleurent la pluie.

Vous êtes partis pour toutes ces raisons, toi Jacques à la capitale pour travailler dans un cabinet d'expertise, et toi Catherine encore plus loin, à Rome où Patrice t'a entraînée. Mais un autre motif vous a chassés. Tu l'as laissé entendre et je le rumine pendant que nous finissons de manger : vous vous êtes sauvés parce que le fardeau dont nous vous avons chargés était trop lourd. Le legs de la famille vous a mutilés. Vous aviez besoin d'air.

J'enlève les assiettes en prenant soin de ne pas rompre la paix fragile. Tu prends ton verre pour le vider et, en buvant, tu me regardes. La nuit enveloppe le cerisier et on distingue à peine la silhouette blanche de ta voiture sous l'arbre.

— Je ne vous convaincrai pas… Vous faites ce que vous voulez, mais je maintiens qu'à mon avis vous avez tort. Vous allez réparer la toiture et aménager le logis. Mais qu'est-ce que vont devenir les autres bâtiments ?

— On s'en occupera après, répond ton père.

— Vous finirez à un bout, et vous devrez recommencer à l'autre. As-tu calculé seulement la surface de toiture à reprendre ?

— Oui.

— Et alors ?… C'est de la folie.

— Et si ça nous plaît d'être fous ?

— Ce n'est pas ta petite retraite de cheminot qui paiera les travaux. Vous allez manger tout ce que vous avez péniblement mis de côté, l'héritage des Villebois va y passer.

52

— C'est ça qui te gêne, s'exclame Bernard, la voix tremblante. Tu as peur qu'on gaspille ta part d'héritage !

Je sais que, dans sa colère, il est injuste et dépasse les limites. Tu blêmis.

— Tu dis n'importe quoi ! Je me fous de votre argent !

Bernard se frotte la nuque comme lorsqu'il veut rattraper des paroles qui sont allées plus vite que sa pensée. Je me rappelle mon petit garçon au regard candide levé vers le logis clos, qui me reprochait : « Tu dis qu'il est à nous, et on n'y va pas. Quand est-ce que nous y habiterons ? »

Tu te lèves brusquement et te sauves vers ta chambre en renversant le chat Pompon qui s'approchait pour se frotter contre tes jambes.

— Débrouillez-vous de vos salades ! Je me fiche pas mal de votre Tourtras !

Nous restons là, désemparés, Bernard et moi, nous interrogeant du regard. Mais je lis dans ses yeux, comme il peut lire dans les miens, que nous ne changerons pas d'avis parce que tout semble vouloir se liguer contre nous dès les premiers jours. Nous allons te prouver, Jacques, que nous avons raison et, si possible, contribuer malgré toi à ton bonheur. Moi, je n'ai pas eu de mère pour se soucier du mien. J'espère que tu comprendras, un jour.

Un choc contre la vitre me fait tourner la tête. Pompon a bondi sur la tablette de la fenêtre pour sortir. Je me lève lui ouvrir. Je cherche mon mouchoir dans ma poche. Ma détermination n'empêche pas mes paupières de déborder.

4.

Peut-être qu'à votre avis je radote dans mon fauteuil derrière la fenêtre, à ressasser ces querelles entre nous. Vous les avez oubliées. Ce qui s'est passé après est autrement important. Elles comptent. Elles ont sûrement compté davantage pour nous. Vous, votre vie était ailleurs. Mais notre histoire est un tout. J'ai l'impression, en l'écrivant, de réaliser le tricot de ma vie. Et, vous le savez, on ne peut pas sauter une maille. Ça se voit. Ma pelote est grosse. Mes mains s'activent. Je tricote. Vous souvenez-vous des grosses écharpes rouges que je vous avais tricotées pour aller à l'école ? On ne sait jamais si on ira au bout de son tricot quand on le commence !

Tu as dû, de ta chambre, appeler ta sœur avec ton portable, Jacques, et l'informer du commencement de nos travaux.

Le lendemain matin le téléphone a sonné, alors que ton père et moi prenions notre petit-déjeuner face à face. Après ce qui s'était passé, nous étions aussi las, aussi gris, que le petit jour où flottait une brume légère.

Lequel va se lever et décrocher ? Je sais que Bernard s'est réveillé bien avant le jour, contrairement à l'habitude. Il s'est tourné et retourné, lui qui se réveille dans la position où il s'est couché.

Moi, j'ai été fidèle au rendez-vous de quatre heures des mauvais jours. Ces retours brutaux à la conscience me sont familiers depuis ma petite enfance. Et aussitôt l'angoisse. Sainte Vierge ! J'ai repris plusieurs fois une prière que je n'arrivais pas à finir. Je me suis interrogée, le cœur cognant dans la poitrine : « Qui a placé cette lettre sous le heurtoir ? » Et j'ai supplié surtout : « Ne permettez pas que nous rompions maintenant avec nos enfants. Nous n'allons pas les abandonner à notre façon, à notre tour ? »

Le téléphone a sonné pour la troisième fois. Bernard s'est décidé à traîner ses savates sur le carrelage. Il a appuyé sur le bouton du haut-parleur, et ta voix, Catherine, m'a arrachée à l'insomnie qui me collait en chemise de nuit à la paille de ma chaise :

— C'est toi, papa ? Je ne te réveille pas ?

Excuse-moi d'appeler si tôt, je dois partir au bureau.

Je modère l'élan de joie qui me pousse à m'approcher du combiné, car j'imagine que ton appel ne vient pas par hasard après la dispute de la veille. Je crie cependant de ma place :

— Bonjour, ma Cathy !

— Bonjour, maman ! Quel temps fait-il en Charente ?

— Beau, si la brume se lève.

— À Rome, c'est l'été. Qu'allez-vous faire aujourd'hui ?

Je songe : voilà, nous y sommes, et j'éprouve un pincement au cœur. Tu t'empresses d'ajouter, joyeuse :

— Je me suis réveillée en pensant à vous. Je prends une semaine de vacances. Pourquoi ne viendriez-vous pas me rejoindre ? Nous descendrions vers le sud.

Ta proposition semble si naturelle. La réponse de Bernard me serre encore un peu plus le cœur.

— Pourquoi nous invites-tu, maintenant ?

— Pourquoi pas ?

— Maintenant ce n'est pas possible. Nous avons commencé à découvrir le toit de Tourtras et il nous faudra un mois pour mettre les tuiles neuves. Tu le sais déjà…

Tu ne nies pas. Nous entendons ton souffle comme si tu étais à côté de nous. Et tu ajoutes sur un autre ton, désolé cette fois :

— Pourquoi faites-vous ça ? Vous savez qu'on ne le veut pas. Le logis ne nous intéresse pas.

Les arguments de la veille reviennent.

— Vous allez mettre tout votre argent dans cette construction. On ne veut pas être condamné par la maison de famille et passer toutes nos vacances en Charente à tondre les pelouses et tailler les arbres.

— On ne le fait pas pour vous. Vous vendrez, si ça ne vous plaît pas, quand ce sera à vous.

— Tu ne te rends pas compte, papa, c'est un travail énorme. Maman n'a pas ta force.

— Maman va bien, merci ma chérie ! dis-je bien fort.

— C'est une folie, maman. Tout est à refaire. Est-ce que vous avez besoin d'un château ? Vous nous avez élevés dans les quelques mètres carrés de la venelle.

— Justement, nous avons envie d'espace et de lumière. Pourquoi es-tu partie à Rome, toi ?

Tu soupires.

— Jacques t'a parlé de la lettre anonyme ?

Tu gardes le silence un moment.

— J'espère que vous ne prenez pas trop cette histoire au sérieux. Nous ne sommes plus au Moyen Âge. Je me moque d'être une petite-fille de Boche, de Turc, ou de Chinois.

— Tu as raison, Catherine. Tu as ta vie, maintenant, mais ça aurait davantage d'importance pour toi si tu étais là.

— Je suis une Française à Rome, et les gens se moquent pas mal de savoir avec qui a couché ma grand-mère !

— Tu t'en fiches ?

— Maman ! Les choses sont toujours compliquées avec toi. Je ne sais pas si nous arriverons un jour à être d'accord.

— Nous l'avons été autrefois. Vous êtes partis. Vous n'aviez peut-être pas tort. Vous étouffiez avec nous.

— Maman !… Alors vous n'allez pas venir nous voir ?

Tu as pris soin de rester dans ta chambre, Jacques. J'imagine que tu as cependant tout entendu. Les cloisons de la venelle sont minces comme du papier. On entend les pas d'une souris qui court sur le plancher de la chambre d'à côté. Et puis, nous qui ne sommes pas nés avec le téléphone, nous avons l'habitude de parler un peu fort dans l'appareil.

Tu entres dans la cuisine quand je lave nos

bols dans l'évier. Tu avales rapidement une tasse de café noir. Tu as ta moue boudeuse des mauvais jours. Tu étais déjà comme ça quand tu revenais du collège ou du lycée avec de mauvaises appréciations.

— Je vais partir, dis-tu.

Je continue de frotter les cuillers sous le robinet. Je sens planer sur moi l'ombre de quelque chose qui ressemble à de la dépression. Le cœur me fait mal. Je pense : voilà, c'est bien ça, je suis en train de perdre mes enfants, je reproduis le modèle… Je serre les paupières pour ne pas pleurer. Ton père se rase dans notre petite salle d'eau. Quand il rentre, en gilet de peau, de la mousse de savon sur les tempes, je lui dis :

— Jacques s'en va.

— Où ça ? Pourquoi ? Je croyais que tu devais rester jusqu'à demain soir ?

Tu ne réponds pas. Tu effectues des petits tas, de l'index, avec les miettes de pain sur la table.

— C'est à cause du logis et de la dispute d'hier ? insiste Bernard.

Tu hausses les épaules, et détournes tes grands yeux bleus.

— À cause de ça, et parce que j'ai du travail.

Tu vas dans ta chambre. Je te crie :

— Veux-tu que je te prépare les sandwiches de ton déjeuner ?

— Non, merci.

Et puis tu te ravises.

— Si tu veux.

Bernard s'approche avec son odeur de savon à barbe et, en s'essuyant les tempes avec la serviette, appuie sa lourde main sur mon épaule, et la presse. Ma bouche est sèche, avec un mauvais goût. Je cherche le pot de confit de la veille et le bocal de cornichons.

Tu ne mets pas longtemps à faire ta toilette et préparer ton sac. Il est vrai que tu l'as à peine ouvert pour la nuit.

Nous sortons ensemble de la maison, levons les yeux tous les trois pour interroger le ciel. Je reconnais ton mufle dressé, semblable au mien, et j'ai envie de te serrer dans mes bras et de te retenir.

— Pourquoi pars-tu déjà ? Tu pouvais te reposer et prendre un moment de plus.

— En partant maintenant j'éviterai les bouchons sur le périphérique.

Les nuages ont grossi et leurs ventres sont couleur ardoise.

— Il pourrait pleuvoir, dit Bernard. Cette fois, nous devrons bâcher.

Le soleil dore pourtant le mur de la grange

du voisin qui clôt notre venelle. Tu as lancé pendant des après-midi entiers ton ballon contre le panneau de basket qui y est fixé. Le bois du panneau a noirci. Je te reprochais d'abîmer les roses du parterre avec ton ballon. Tu lèves les yeux vers le feuillage du cerisier.

— Il y aura des cerises, cette année.

— Si les oiseaux ne les mangent pas avant qu'elles ne soient mûres. Le meilleur épouvantail c'était toi, quand tu tournais autour avec ton petit vélo en imitant de la bouche le moteur d'une mobylette.

Tu charges ton sac sur le siège de ta voiture, t'assieds au volant. Bernard s'incline à ta portière.

— Alors, tu nous laisses…

Tu fronces les sourcils.

— C'est vous qui n'avez pas besoin de moi.

— Allez, vas-y ! t'encourage ton père, refermant ta portière et coupant court à toute nouvelle discussion.

En passant près de moi qui n'ai pas bougé, bras croisés au milieu de la cour, tu lances par la vitre baissée :

— Faites attention. Prenez soin de vous !

Le cœur me saute dans la poitrine. Tu roules entre les murs de la venelle. Tu allumes ton clignotant par habitude. Tu tournes, disparais. La voix du coucou s'élève. Je frissonne, gémis. Bernard glisse son bras sous le mien.

— Tu viens ? On remonte sur le toit ? Il reviendra, plus vite qu'il ne le dit.

Nous dressons l'échelle, nous hissons péniblement. Je boude. Nous boudons. Nous nous en voulons de nous être fâchés avec vous, et nous nous en rejetons la responsabilité l'un sur l'autre. C'est Bernard qui m'arrête sur la toiture et me montre la vallée.

— Regarde comme c'est beau !

La lumière blonde étincelle sur la rivière. Le matin a cette limpidité au printemps. Les lacets de la route se perdent dans les tabliers des ponts en dos-d'âne. Le vert vif des vignes qui dégringolent des hauteurs domine toutes les nuances de vert de l'herbe et des arbres. Les villages dressent leurs clochers carrés dans les replis des collines.

Le portail du porche des Ragons, au bord de la Charente, est grand ouvert. Un tracteur en sort avec sa remorque. Je le suis sur le chemin qui monte entre les vignes. Il lâche de petites bouffées de fumée. Un coup de sifflet retentit, plus strident que tous les chants d'oiseaux. Celui-là, je le reconnaîtrais entre mille. Je n'ai pas besoin de regarder ma montre. C'est le sifflet du train omnibus de neuf heures, Châteauneuf-Royan. Il n'a pas changé d'heure depuis que j'ai quitté la maisonnette de garde-barrière de papa et maman Paillat, passage à niveau 36. C'était aussi l'heure de la rentrée en classe à Martignac. Je sais que Bernard l'a entendu.

Je suis du regard la ligne d'acacias qui court à l'horizontale à travers les coteaux. Je pense : « L'autorail n'est plus rouge comme autrefois. Il a un mufle de petit TGV. » Je me penche comme si je pouvais le voir à travers les branches. Il me semble entendre le tintement de la sonnerie du passage à niveau. Je me reproche de ne pas être allée rendre visite à maman Paillat depuis plusieurs jours. Le diabète la mine. J'irai la chercher demain dimanche, et l'amènerai visiter le logis. Elle, du moins, s'en réjouira.

J'accomplis avec soin ma tâche. J'approche les planches, aide à tenir les morceaux. Les hésitations, les calculs de Bernard m'impatientent parfois. J'irais plus vite. Je confonds souvent vitesse et précipitation. Lui n'entreprend rien sans longue préparation.

— On ne gagne rien à aller trop vite, me reproche-t-il. On fait des bêtises.

Ses mains tracent. Ses mouvements sont calmes. Ses yeux pétillent quand la planche s'insère parfaitement dans le puzzle de la toiture.

Nous avons monté la lourde bâche bleue sur le toit, le soir, Bernard dessous, moi dessus. Il était allé chercher des cordes, les avait nouées autour de la bâche. Je les avais enroulées à mes piquets. Je tirais. Il soulevait.

Nous l'avons déployée sur le toit. Quelques gouttes avaient déjà commencé de tomber au milieu de l'après-midi. Le ciel était de plus en plus bas et, de notre promontoire, il semblait qu'on allait toucher les nuages. S'il ne pleuvait pas déjà, c'était que le vent s'était levé. Bernard a solidement fixé les liens de la bâche aux cheminées et aux génoises.

5.

La pluie n'a guère connu de répit pendant la semaine qui a suivi. Le vent qui soufflait de l'ouest apportait jusqu'à notre venelle les sifflements de l'autorail dans la vallée. Et les trains de nuages qui défilaient se déversaient en averses brutales.

Vous n'avez pas donné de vos nouvelles. J'attendais au moins un appel de toi, Catherine, à cause de la lettre anonyme. Nous ne sommes quasiment pas montés sur le logis. Heureusement que la bâche était lourde et que Bernard avait solidement serré la toile et les cordes. Cela ne l'empêchait pas de se précipiter chaque matin au saut du lit pour s'assurer qu'elle ne s'était pas envolée.

Moi, le vent et la pluie ne m'empêchaient pas de dormir. J'avais naturellement renoué avec le cycle des insomnies. Chaque soir, bien avant l'heure d'aller au lit, je tombais de sommeil. Et une fois couchée, il m'était impossible de fermer l'œil. Je me tournais, l'oreille aux aguets, imaginant quelqu'un en train de glisser une lettre sous la main de fatma, guettant le moindre ronronnement de moteur au bout de la venelle ou sur la route de la vallée, écoutant aboyer les chiens, qui ne sont pas rares dans le village.

J'ai confondu les heurts du vent contre les huisseries avec des claquements de portières. Je suis restée une heure à retenir mon souffle à cause d'un coup de klaxon sinistre dans la nuit. J'ai tellement tendu le cou, remué, que j'ai réveillé Bernard qui a grogné :

— Qu'est-ce que tu as ? Dors donc.

Je me suis laissé convaincre et j'ai sombré dans un sommeil hanté de mauvais rêves jusqu'à ce que mes fantômes me tirent du sommeil en sursaut longtemps avant l'aube.

Je pense à vous dont nous sommes sans nouvelles. Peut-être avez-vous raison. Notre entêtement à remettre en état ce trop vaste logis a quelque chose d'absurde… L'amorce du jour qui bleuit les carreaux ne me rassure pas. J'essaie de réfléchir calmement. Je me sens redevenue enfant, et pourtant j'ai cinquante-cinq ans. Rien, jamais, n'a pansé la plaie qui m'écorche la poitrine. Je me raccroche, comme je peux, à la seule arme dont je dispose, la prière.

Je me pends aux Ave comme celui qui se noie à la corde qu'on lui a lancée. Je récite les formules sans trop penser, mais la musique des mots me soutient, me retient.

Je me demande comment, à si peu dormir, j'arrive ensuite à me lever, marcher, me tenir droite. Je me bouscule, me pique : « Redresse-toi, Fridoline ! »

Le beau temps est revenu le septième jour, 22 avril.

(J'ai tout noté. Vous savez que j'ai toujours tenu un compte rendu détaillé de l'emploi du temps, des rendez-vous, du temps qu'il fait, sur les grands calendriers cartonnés offerts par les banques et les pompiers.)

Et aussitôt, c'est presque l'été. Je coiffe mon chapeau de paille et reproche à Bernard de ne pas faire de même. Il hausse les épaules.

— Je ne suis pas sensible au soleil comme toi !

(J'ai noté les températures : 23 °C, puis 25, 27.)

Les oiseaux, que la pluie avait réduits au silence, s'égosillent de plus belle. Leurs ailes nous frôlent sur notre toit avec des bruissements de soie. La chemise me colle à la peau. Je demande à Bernard :

— Tu sens ?

Il manque tellement de nez qu'à mon avis c'est une infirmité.

— Quoi ?

Je veux parler des haleines de foin et de fleurs. Il est vrai qu'il a la tête au-dessus de l'auge à mortier avec lequel il enduit de ciment les tuiles de la génoise et des bordures pour les empêcher de glisser. Notre chantier avance vite avec le retour du soleil. En moins d'une semaine nous en arrivons presque au bout. Philippe vient nous féliciter. Il n'est pas bricoleur comme Bernard. Il préfère occuper son temps à la chasse et au ball-trap, ce que lui reproche sa femme. D'autres curieux du village empruntent l'allée de tilleuls et se plantent, nez en l'air, les mains dans les poches, au pied de notre échelle.

— C'était original, plaisante le vieux Compain qui tient son chien Pilule par la ficelle, cette casquette de bâche sur votre logis, on la voyait de loin. Il faudrait des tuiles bleues. Maintenant la couverture est en train de devenir ordinaire.

— Vous lui mettriez un béret comme vous ? l'interroge Bernard amusé.

— Pourquoi pas ? répond le bonhomme en rejetant sa coiffure vers l'arrière. C'est mieux qu'une tuile. Mon béret me protège de l'eau, me tient chaud, je ne pourrais pas m'en passer !

Il le soulève et découvre en riant son crâne chauve. Un courant d'air s'infiltre sous ce qui reste de bâche.

— On dirait que la maison respire, dis-je.

Mais c'est le matin du 30 avril que tout a vraiment commencé.

Le cliquetis du ceinturon que Bernard boucle, debout dans la chambre, me réveille. Je me redresse en sursaut.

— Qu'est-ce que tu fais ?

— Je m'habille. C'est l'heure…

Il ajoute :

— Tu as dormi.

Je regarde le réveil sur la table de nuit. Qu'est-ce qui m'est arrivé ? Comment ai-je pu dormir si longtemps ? Est-ce parce que nous arrivons à la fin des travaux de couverture ? Je bondis hors du lit, comme le soldat qui s'est endormi à son poste. Et tout de suite le cœur me saute. Mon sixième sens me signale quelque chose.

— Qu'est-ce que tu as ? grogne Bernard qui s'aperçoit de mon inquiétude.

— Rien.

Pourtant je ne l'attends pas lorsqu'il fait le détour par l'appentis de l'atelier pour y chercher un outil. Je file à travers notre venelle, remonte la rue du village et m'engage dans l'allée du logis. Et je me fige, frissonnante, changée en statue de sel.

Là-bas, au sortir de l'ombre des tilleuls, le soleil frappe de ses rayons éclatants le porche et le portail. Et sous la main de fatma qui tient la boule, il y a un rectangle de papier légèrement bistre, au format inférieur à l'habituel commercial, pareil à la première fois. Je n'ose plus un pas.

J'attends, gémis, laisse Bernard me précéder et approcher la main comme d'une bête qui mord. Il prend l'enveloppe, dont j'ai déjà déchiffré l'adresse aux caractères découpés : *Mademoiselle Renée Duval, Passage à niveau 36, 16120 Martignac.*

Il se retourne pour vérifier si quelqu'un nous observe. L'ombre immobile des tilleuls est vide. Un moteur de tracteur ronfle au loin. Nous entrons, nous asseyons sur le banc de pierre, reprenant les gestes de l'autre fois. Il me tend la feuille de papier. Les lettres semblables, découpées, collées, répètent cette fois, sur toute la page :

Celui qui combat par l'épée périra par

l'épée, fille de Boche. Celui qui combat par l'épée périra par l'épée, fille de Boche...

Je tremble. Bernard pose la main sur mes poignets. Cela n'empêche pas la trémulation du papier qui cliquette comme une feuille morte. Une onde froide me glisse sur la colonne vertébrale. Bernard murmure, et j'ai la sensation que ses doigts frissonnent aussi :

— C'est une phrase de la Bible.

— Non, de l'Évangile.

— Tu es toute pâle. Veux-tu que j'aille te chercher quelque chose ?

Je serre sa main.

— Non, reste.

— Qu'est-ce que ça veut dire ?

Je hausse les épaules.

— Celui qui écrit ça veut nous faire peur.

— C'est réussi.

Bernard presse ma tête contre la sienne. Sa joue chaude, ses bras me font du bien. Je me serre pour me blottir. Il me demande :

— On va prévenir les gendarmes ?

J'ai appris cette phrase d'Évangile par cœur au catéchisme. Qu'est-ce qu'elle voulait dire ? Je n'ai pas écouté la question posée par Bernard. C'est peut-être la faute au ciel trop bleu. La veille, avant de quitter le logis, nous nous sommes arrêtés pour contempler notre chantier au soleil couchant. Des nuages planaient dans le ciel comme de grosses fleurs de pivoine. J'ai avoué à Bernard, ce n'était sûrement pas vrai : « Je t'ai épousé aussi à cause de cette maison. Quand tu m'y as emmenée pour la première fois, il y a trente-cinq ans, j'en suis tout de suite tombée amoureuse. J'ai tout aimé, l'avant-cour et les bâtiments des domestiques, le gravier des allées, les buissons bien taillés, la pelouse pour les parties de croquet, la pompe verte dans le jardin. Il m'a semblé que si j'habitais là, je ne serais plus la même. » Bernard m'a répondu : « Nous sommes en train de réaliser ton rêve. Comment veux-tu que nos enfants comprennent ? » Nous étions l'un près de l'autre comme deux amoureux, les bras autour de la taille.

Je lève les yeux vers le ciel où flottent les nuages si légers. Je regarde nos tuiles roses qui étincellent au soleil. Je me dresse en essayant de me délivrer de mes derniers tremblements. Je serre les dents, respire le parfum des seringas de la cour ligotés de ronce. Qu'est-ce que tu as dit, Catherine : « Nous ne sommes plus au Moyen Âge ! » ? Je glisse la lettre dans la poche de ma chemise sur ma poitrine. (Je crois que je portais la même chemise d'homme à carreaux que la première fois.) Bernard se lève

73

derrière moi, attendant mon verdict. Je dis :

— On ne va pas entrer dans le jeu de ce détraqué !

— Il peut continuer longtemps cette petite guerre.

— Il se fatiguera avant nous.

Nous descendons à travers l'avant-cour des domestiques. Je pousse la grille de la cour du logis.

— Je n'ai pas besoin de toi, là-haut, me dit-il. Je pense que j'ai assez de tuiles. Si j'en ai besoin, je te le dirai.

Il monte, se déplace sur le toit avec un paquet de tuiles, et crac, passe au travers de la chanlatte.

J'entends ce craquement d'en bas sans lui accorder d'importance. Mais je vois aussitôt tomber un paquet de quatre, cinq tuiles neuves qui s'écrasent à mes pieds. Je crie.

J'escalade l'échelle. Il n'y a personne sur le toit.

Celui qui combat par l'épée périra par l'épée… La lettre a-t-elle un rapport avec ce qui se passe ?

— Bernard ! Bernard !

Je découvre la partie de toiture effondrée, et le trou dans la chanlatte. J'hésite à m'approcher de la zone dangereuse, et me glisse à plat ventre. Le bois fléchit dangereusement sous mon poids, je ne suis guère moins lourde que Bernard. Je passe la tête au-dessus de l'ombre béante en suppliant :

— Bernard, réponds-moi…

Je me crève les yeux à essayer de voir à travers les poussières séculaires qui volent. Et puis je l'aperçois.

— Bernard, tu as mal ?

Il s'assied, se frotte le crâne, grogne.

Il tente de se relever, mais reste bloqué, à quatre pattes.

— Ne bouge pas ! J'arrive…

Je sais que ça ne va pas être facile. Sauf à sauter dans le trou, au risque de me briser à mon tour les reins, il faut que j'aille chercher la clé du logis chez nous. Je redescends. Le père Compain, qui m'a entendue crier, est là.

— Vous avez besoin de quelque chose ?

Les battements de mon sang bourdonnent à mes oreilles. Je supplie le bonhomme, en m'empressant vers la grille :

— Restez là. Je vais chercher la clé. Bernard est passé au travers du toit !

Je cours, remonte le chemin de l'avant-cour, le porche. Je n'imaginais pas notre venelle si loin. Des étoiles dansent devant mes yeux. Il ne faut pas que je me trouve mal. Je pense à vous, mes enfants, qui n'êtes pas là. Le papier de la lettre craque dans ma poche de poitrine. *Celui qui…* Je me précipite, à bout de souffle, vers la porte de la maison et le tiroir du vieux buffet Henri II où est le trousseau des trois clés rouillées du logis, qui ont peu servi depuis trente ans. Laquelle est celle de l'aile gauche ? Je repars, en nage, la sueur ruisselant dans le dos. J'arrive au logis. J'ai croisé le voisin Auboin qui m'a demandé ce qui se passait, et qui court derrière moi sans parvenir à me suivre. Le brave père Compain est monté à mi-échelle. De sa voix tranquille il s'adresse à Bernard. Je lui demande :

— Il vous répond ?

— Oui.

— Venez avec moi.

Laquelle est la clé de la porte de gauche ? Je sais que les clefs ont du mal à tourner dans ces serrures oubliées. Je suis surprise de sentir le pêne céder au premier tour. Je m'élance sur les dalles de terre cuite du corridor, empoigne la rampe du vieil escalier de bois qui tourne, trébuche dans le noir sur les marches inégales, pousse de tout mon poids la porte du grenier qui racle le plancher. Bernard est là, contre le mur, la lumière bleue du ciel coule sur lui. Je m'agenouille :

76

— Où as-tu mal ?

— Ça va aller. Je crois que je ne me suis rien cassé. Par chance je ne suis pas tombé sur ces gros madriers. À quelques centimètres près…

Je lui palpe le visage. Une vilaine bosse grosse comme un œuf lui gonfle le front. Je touche son épaule.

— C'est là que j'ai le plus mal.

Je déboutonne sa chemise. Le père Compain est arrivé, et Daniel Auboin, essoufflé.

— Alors, plaisante le vieux, tu as voulu crever les plafonds ?

— J'ai dû me déboîter l'épaule, se plaint Bernard alors que j'essaie de lui déplacer le bras.

— Et les jambes ?

— Elles n'ont rien. Peut-être un petit quelque chose à cette cheville.

— Tu veux qu'on essaie de te relever ?

On s'y prend à trois. Et nous redressons Bernard qui gémit, soupire, et boitille en riant quelques pas avec nous dans le grenier.

— Ça marche…, dit-il.

— Oui, façon de parler, grommelle Daniel Auboin qui le soutient par la taille.

— Tu vas pouvoir descendre l'escalier ?

— Il le faudra bien. Je me demande comment j'ai pu passer à travers cette chanlatte. Nous avions remplacé les planches pourries.

— Ce ne sont pas les planches qui ont cédé, explique le vieux Charentais, regarde…

Il montre les poutres effondrées de la charpente.

— On verra après, dis-je. Maintenant on essaie de rejoindre la terre ferme. Qu'est-ce qu'il fait là, celui-là ? Il est monté avec vous ?

— Non. J'ai refermé la porte en bas derrière moi, dit le vieux Compain.

Pompon est dans le grenier.

— Alors il serait venu par l'échelle ?

L'animal, la queue dressée, renifle sur le plancher les boules de déjection du chat-huant qui a disparu depuis le commencement des travaux. Comment est-il arrivé là ?

Nous examinons l'ampleur des dégâts au plein soleil. Une seconde bosse aux vilaines couleurs jaunes et bleues gonfle la pommette de Bernard au-dessus de la moustache. Il fanfaronne mais se tient de guingois, son épaule est au moins démise.

— Je vais chercher la voiture ou les pompiers ?

— Pourquoi pas le corbillard ?

Auboin regrette, sa femme est partie en ville, et il n'a pas de véhicule. Le père Compain propose sa vieille Ford.

— Restez avec lui, je vais la chercher.

Nous montons en clopinant vers le portail et le banc du porche. Le bonhomme arrive avec son auto verte, et Bernard s'allonge à l'arrière. La nouvelle a déjà commencé le tour du village. Marie Roy, la voisine, guette notre passage derrière sa grille.

Le médecin, venu très vite, a ordonné des radios de contrôle, mais à son avis Bernard s'en tire à bon compte : luxation à l'épaule, foulure à la cheville, hématomes multiples.

— Heureusement que vous êtes solide !

Il m'envoie chercher des bandes spéciales à la pharmacie. Je m'arrête en passant devant la gendarmerie parce que Bernard a répété pendant qu'on le soignait : « Je ne comprends pas que cette charpente ait lâché. Elle était en bon état. Je l'ai vérifiée. »

Le fourgon bleu des gendarmes n'a pas traîné. Je suis à peine de retour de Châteauneuf qu'il se gare sous le cerisier. Celui qui doit être le chef, un grand blond au visage enfantin, presque imberbe, tourne vers moi des yeux suspicieux.

— Vous avez trouvé cette lettre sous le heurtoir de votre logis ?

Quel logis, d'abord ? Il n'a sous les yeux que notre modeste maison basse coincée entre les hauts murs des grandes propriétés, même si Bernard s'est efforcé de la rendre coquette.

Son collègue examine le collage sur la toile cirée de la cuisine.

— Est-ce que vous avez une idée de celui qui a pu déposer cette lettre ?

— Si nous le savions, nous n'aurions pas besoin de votre aide.

— Si nous allions voir ce fameux portail ?

Bernard veut venir. Il s'appuie sur moi pour monter dans la voiture des gendarmes. L'importance des piliers du porche et les bâtiments qu'ils découvrent les rendent plus aimables. Ils demandent à voir le trou dans la toiture. Je traverse la maison jusqu'au compteur pour mettre le courant. Et malgré la faiblesse de l'ampoule du grenier, tout devient clair.

Bernard a été victime d'un acte de sabotage. On a voulu qu'il se blesse, ou se tue. L'arbalétrier et les chevrons de la charpente ont été sciés. Ils ont cédé à son passage et il est naturellement tombé.

— On a probablement essayé de vous tuer, confirme le gendarme blond redescendu vers Bernard resté dans le fourgon. Le malfaiteur n'a pas cherché à dissimuler son crime. La sciure est accumulée en petits tas au pied des poutres coupées. Il y a sûrement un lien avec les lettres que vous avez reçues. L'embêtant c'est que vous avez marché partout. Vous connaissez-vous des ennemis ?

— Pas plus que tout le monde.

— C'est moi qu'on doit viser, dis-je, les lettres sont à mon nom de jeune fille.

Le gendarme téléphone à son chef.

— Le criminel est monté par cet escalier, dit son collègue.

— La porte était pourtant fermée à clef.

— C'est facile de prendre les empreintes de serrure d'une maison abandonnée. Il a pu fabriquer la clé lui-même.

— Pompon l'aura suivi !

— Pompon ?

— Le chat. On l'a retrouvé dans le grenier. Il n'était pas là ce matin quand je lui ai donné son bol. Le criminel l'aura enfermé cette nuit dans le logis sans le savoir.

Le grand blond a sorti son calepin. Il marche jusqu'à la porte du logis, en retire la clé, palpe le panneton, hume son doigt, met l'œil au canon de la serrure.

— Vous l'avez huilé récemment ?

Je me rappelle ma surprise lorsque j'ai ouvert devant le père Compain. L'assassin avait même prévu une burette d'huile pour dégripper la fermeture !

Le chef Rabier s'extirpe de sa Peugeot bleue trop étroite pour ses larges épaules et ses longues jambes.

Les gens de Châteauneuf sont familiers de ce géant jovial, aux pommettes vermeilles et à la moustache poivre et sel. Bernard a eu avec lui des conversations interminables sur les trains au café de la Gare.

Comme il fait beau, le chef enlève son képi et s'assied prudemment près de nous sur le vieux banc de bois qui fléchit, face à la vallée. Il reprend notre déposition depuis le début, en attendant l'arrivée des spécialistes de l'identité. L'auteur des lettres et le criminel sont d'après lui le même individu. Il note la date de la première lettre, tourne les pages de son agenda.

— Il a agi une nuit de pleine lune. Cinquante pour cent des crimes sont commis ces nuits-là.

— Comprenez-vous quelque chose à son message biblique ? interroge Bernard.

Le chef Rabier soupire :

— C'est sa deuxième lettre. Cet individu doit avoir une logique. Il vous colle une énigme. Il faudra être très prudent s'il y en a une troisième. On peut dire que vous êtes maintenant la cible de ce qui s'appelle un corbeau...

Il se tourne vivement vers moi.

— Vous n'avez aucune idée, aucun soupçon, puisque vous êtes visée ? C'est vous, du moins, qu'il insulte.

J'ai du mal à garder les yeux levés. Le chef resserre sur moi ses épaisses paupières éblouies par le soleil. Je hausse les épaules.

— Être appelée fille de Boche a été pour moi chose courante, à une certaine époque.

— Peut-être, malheureusement, madame Villebois. Mais nous ne sommes plus à cette époque.

Un nom à ce moment-là me brûle les lèvres. Il a éclos soudain, je ne sais comment, dans mon esprit. Mais je le retiens. Cela devrait se voir. Le chef Rabier bat des paupières, allonge les jambes sur le trottoir du logis devant lui, et tourne son regard vers la vallée.

6.

J'ai eu du mal à m'endormir, bien sûr, ce soir-là. Ma mécanique dérangée broyait ses idées noires. Je répétais à Bernard :

— Je le savais !

— Tu savais quoi ? Comment pouvais-tu le savoir ?

— Quand je me suis réveillée, ce matin, j'ai su qu'il allait nous arriver quelque chose…

J'ai enfin sombré dans un mauvais sommeil, et j'ai retrouvé mon cauchemar familier.

Il commence toujours comme une promesse de bonheur. Je marche dans un soleil si intense qu'il me blesse les yeux. Des rosiers fleurissent l'extrémité des rangs de vigne au bord de la route. Les roses sentent bon. Je suis si bien. Il suffirait de si peu encore pour que je sois pleinement heureuse. Je m'approche des roses pour m'emplir de leur parfum.

Et soudain le soleil trop ardent me brûle, j'ai

chaud, j'étouffe. Pourquoi ai-je mis sur mes épaules cette lourde pèlerine de laine bleue ? J'essaie de m'en débarrasser, mais le fermoir résiste. Je transpire. Je reconnais ma pèlerine de pupille de l'Assistance publique qui colle à mes épaules. J'ai sept ans. Des cris d'enfants s'élèvent autour de moi. Les garnements de l'école forment une ronde et hurlent à mes oreilles :

— T'as pas de père ! T'as pas de mère !

Les roses ont disparu.

C'est désormais un paysage désolé d'hiver, et je grelotte. Ma sueur est glacée. Le grand Mauvoisin du village des Bouchauds sort du rond des enfants, ses petits yeux en vrille fixés sur moi, il ricane. Il tient dans sa main rouge un énorme ver de terre qui se tortille et pend. Et, tandis que les autres crient et dansent de plus belle : « T'as pas de père ! T'as pas de mère ! », il m'empoigne par la tête. Sa main froide se glisse dans mon cou. Je sens ses ongles, et le ver de terre humide, gluant, qui se tortille, et s'écrase contre ma peau. Je hurle, me réveille.

Mes cris réveillent Bernard, qui me dit :

— Calme-toi. Tu as encore fait un cauchemar.

Je regarde l'heure au réveil. Le rire hideux du grand Mauvoisin et les cris des enfants me hantent encore. La sensation du contact du ver de terre sous ma chemise me hérisse de frissons. La main de Bernard me touche, m'apaise. Je la prends dans la mienne, la serre.

Il ne cherche pas à percer mes secrets.

— Calme-toi, répète-t-il. Dors.

Un spasme me tord le ventre.

La scène du ver de terre s'est vraiment produite, plusieurs fois, et le grand Norbert Mauvoisin en a été le héros. J'ai, présent, le souvenir de mon effroi au contact sur ma peau des vers de terre que l'on appelait des achets. Et les hurlements moqueurs de la troupe encouragée par Mauvoisin retentissent toujours à mes oreilles.

Norbert Mauvoisin, c'est le nom que j'ai eu au bord des lèvres lorsque le chef Rabier m'a interrogée. Il avait la maladie de la domination. Il fallait toujours qu'il commande. Il était toujours à la tête de tous les mauvais coups. Maman Paillat disait qu'il avait le vice dans la peau. Je ne sais pas ce qu'il est devenu. Je l'ai croisé quelquefois à Châteauneuf, et j'ai revécu sur-le-champ l'épisode des achets. Il n'habite plus les Bouchauds. Il a déménagé aux alentours de Cognac après son mariage.

Quelles raisons aurait-il de s'acharner après nous ? Il m'a assez fait souffrir, et l'histoire des achets n'est pas la plus grave. Quand j'ai raconté à maman Paillat que Mauvoisin se moquait de moi parce que je n'avais pas de parents, elle m'a dit :

— Réponds-lui, à Mauvoisin, que lui non plus n'a pas de père, il est au cimetière !

Sa mère, je crois, est toujours vivante, et elle habite encore aux Bouchauds. Il faudra que j'aille faire un tour dans ce village pour me renseigner à son sujet.

La nouvelle du mauvais coup arrivé à Bernard s'est donc propagée dans la commune. Les gens ont appris que son accident était dû à un sabotage accompagné d'une lettre anonyme. Quelques amis nous ont spontanément exprimé leur sympathie. Mais j'ai reconnu chez d'autres la méfiance d'autrefois, que je croyais éteinte, et mon arrivée a interrompu des conversations que je dérangeais.

La patronne de la grande surface d'alimentation de Châteauneuf, Mme Henry, n'y est pas allée par quatre chemins en enregistrant mes commissions. Je la connais bien, elle sort des Bergeries, et elle porte des chignons qui la grandissent depuis qu'elle a épousé l'aîné des épiciers du centre et qu'ils ont déplacé leur magasin à la sortie de la ville. Les files d'attente s'étiraient aux caisses et, les lèvres flambant de rouge baiser, elle a lancé pour que tout le monde entende :

— Alors, il paraîtrait qu'un sinistre individu vous cause des misères, madame Villebois ? À notre époque, on a du mal à le croire ! Ce n'est pas pour dire, je suis charentaise, mais à mon avis il y a trop de murs en Charente…

— Et alors ? Que voulez-vous dire ?

Elle a allongé le bras pour prendre mon lait, mon beurre, mes biscuits.

— On ne sait pas ce qui se passe derrière ces murs ! À une époque, les Charentais s'enrichissaient en dormant, la tête sur leur matelas de cognac. C'est fini. Alors, forcément, ça aigrit. Ça peut conduire à faire n'importe quoi.

— Vous exagérez ! s'est insurgée la cliente qui venait après moi. Ce n'est pas parce que le cognac se vend mal que les Charentais vont devenir des corbeaux.

Le mot m'a fait sursauter, et fait mal. Il avait été prononcé par le chef Rabier. Tout le monde s'est mis à parler. Pour la première fois on a débattu ensemble de ce qui nous arrivait. J'ai rapporté crûment, la figure en feu, les mots des lettres anonymes, afin que les gens n'ignorent pas, et que de faux bruits ne courent pas dans le pays.

— J'espère que les gendarmes vont l'attraper vite votre corbeau, m'a souhaité l'épicière en me tendant mon ticket de caisse, parce que personne n'est à l'abri de ses fantaisies…

Un vent de panique a agité tout le monde. Et j'ai senti que si cela m'arrivait à moi, c'était peut-être que j'étais quand même coupable de quelque chose.

Je vous ai téléphoné, les enfants, pour vous annoncer l'accident de votre père. Tu es descendu de Paris, Jacques, et tu es resté près de nous, le samedi et le dimanche. Nous avons évité les sujets qui fâchent, mais la vivacité de tes regards bleus en disait long.

Ton père allait plutôt plus mal qu'après le premier choc. Des hématomes lui étaient apparus sur le corps. Les courbatures étaient douloureuses et la gêne à respirer laissait craindre des fractures aux côtes, quoi qu'aient dit les radios. Moi, j'avais les traits tirés. Quand je me regardais dans la glace, les poches sous les yeux de mes interminables attentes de l'aube m'horrifiaient.

Tu m'as accompagnée à la boulangerie, la pharmacie, m'as attendue dans la voiture devant la gendarmerie. Pour la première fois, je crois, tu jouais à l'homme avec moi, Jacques. Tu conduisais. Ton père était immobilisé à la maison. Je me suis sentie vieille. J'ai accepté le rôle de la mère dépassée et soumise aux volontés de son fils.

À l'heure de ton départ, le dimanche, j'ai partagé la tarte aux premières framboises de la saison. Tu as savouré une bouchée de fruits rouges, ta gourmandise, et tu t'es décidé à demander après une gorgée de café :

— Alors, qu'est-ce que vous allez faire ?

— De quoi tu parles ? t'a répondu ton père. Dans l'état où je suis, je crois que, pour l'instant, je suis condamné à ne pas bouger et attendre que les choses s'améliorent. J'espère que le trou de la toiture m'attendra. Philippe a installé la bâche. Un orage viendrait, il causerait des dégâts.

— Appelle un couvreur, papa. Il bouchera ce trou aussi bien que toi !

— Sais-tu depuis combien de temps Marie Roy attend qu'on recouvre sa grange ? Les couvreurs n'ont pas encore fini de réparer les dégâts de la grande tempête de décembre 1999 !

Tu as rougi. Tu t'es aperçu que rien n'avait changé. Tu en as oublié ma tarte. Tu as grommelé :

— Alors, ça ne vous suffit pas ?

— Ne nous suffit pas quoi ? Les gendarmes sont prévenus. Je n'ai rien de cassé, Dieu merci. J'espère bien que, dans une semaine, ma cheville me supportera et que je pourrai de nouveau monter à l'échelle.

Ton père te surprend, sans doute parce que tu le connaissais mal. Tu lui as reproché, parfois, son penchant pour la rêverie et les bonheurs « inutiles » : les abeilles, l'observation des étoiles, la pêche, les trains, les longues heures de bricolage dans son atelier… Mais moi je sais, pour l'avoir vu faire face, au temps de nos fiançailles, aux pressions de sa famille et de tout le pays acharné contre nous, qu'il a de la résistance. Je l'avais moi-même un peu oublié, et je le regarde, ce dimanche, avec les yeux de la jeunesse. Ses cheveux et ses moustaches sont blancs comme neige, mais aussi drus qu'à trente ans. Malgré ses dix ans de plus que moi, il reste solide comme un cep de vigne.

Je te regarde aussi, Jacques. Tu es beau, tes boucles châtain sur le front, les mâchoires crispées par l'impatience de la jeunesse. J'aimerais te prendre dans mes bras, comme lorsque tu te mettais en colère quand tu étais petit. Mais le temps a passé, trop vite. Tu es devenu un homme. Je me suis toujours demandé si j'étais capable d'être mère, moi qui n'ai pas eu de vraie mère. J'ai paniqué en attendant ta naissance, Catherine. Personne n'était vraiment là pour m'aider à devenir mère, même si maman Paillat et d'autres ne demandaient pas mieux. Je m'interrogeais : « Est-ce qu'on est capable d'être mère, quand on est une enfant abandonnée ? Est-ce que je ne vais pas devenir à mon tour une Coucou qui abandonne son petit ? »

Je redoute ton front buté, mon fils, tes yeux de métal dur. Peut-être me suis-je trompée en vous donnant une éducation stricte pour ficeler le diable qui aurait pu se glisser dans vos gènes ? Vous fuyez désormais. Comment vous retenir ? Sinon continuer à être la mère malhabile que vous connaissez…

Je croise les bras devant ma part de tarte, me penche vers toi au-dessus de la table à te toucher. Est-ce que je vais tendre la main vers tes cheveux ?

Tu agites la tête.

— La prochaine fois, le corbeau pourrait bien ne pas vous rater !

Tu abaisses le front vers ton assiette, prends nerveusement une bouchée. Maman Paillat m'a dit :

— Tu es bonne cuisinière. Tu as ça pour toi. N'oublie pas qu'un homme se tient aussi par la langue.

Je te tiens encore par la langue, mon fils. Tu vas t'en aller. Mais j'ai bon espoir que tu reviendras te nourrir à la cuisine de ta mère.

7.

Bernard a dressé l'échelle contre le mur du logis, huit jours après, comme il l'avait promis. Il est remonté sur le toit après avoir relié les arbalétriers sciés avec des colliers de fer. Il a recommencé à travailler trop tôt. Ses douleurs dans l'épaule et le pied ne l'ont plus vraiment quitté, et il a pris l'habitude de traîner la jambe.

Tout a été réparé en une semaine. Je me suis efforcée, pour épargner Bernard, de monter à l'échelle autant que possible. J'ai manié la truelle. Le chef Rabier est passé nous voir le dernier jour, à la mi-juin. Lui et ses hommes assuraient désormais une discrète surveillance autour du logis. Les spécialistes de l'identité avaient formellement identifié dans la poussière de l'escalier et du grenier, malgré nos allées et venues, les traces d'une semelle gravée d'une cible dans le caoutchouc. Ces semelles à la mode sont portées par des jeunes.

— Alors, a crié Rabier de sa voix forte en descendant de sa voiture, c'est aujourd'hui que vous plantez le bouquet !

Il serrait dans ses bras une gerbe de marguerites et de renoncules mal ficelées qu'il avait dû cueillir dans un pré. On oublierait son uniforme sans ces relents de caserne sur lui, mélange vague de vieux cuir et de sueur collective dès qu'on l'approche. Il nous a attendus au pied de l'échelle.

— Ça y est ! a-t-il déclaré en tendant la main à Bernard.

J'ai cru qu'il avait trouvé notre corbeau. Il évoquait seulement l'achèvement de nos travaux. Sa lourde carcasse débonnaire autour de Tourtras me rassurait. Mais je ne m'engageais jamais dans l'allée du logis sans une pointe au cœur. Les chants des coucous me semblaient plus nombreux que d'habitude dans la vallée. J'ai souhaité l'arrivée rapide de la première quinzaine de juillet, où ils repartent.

Le ciel était bleu. Bernard a fixé le bouquet à la cheminée sur le toit dans une inondation de lumière dorée. On l'a vu du village. Philippe est arrivé, et Daniel Auboin avec Gérard Thomas, un autre voisin.

Je leur ai dit :

— Je vais à la maison chercher des bouteilles !

Je suis revenue avec le panier, le pineau, les verres. J'avais rencontré le père Compain en route, et il m'accompagnait, avec Pilule. J'ai étalé le torchon sur le banc. Bernard et les hommes examinaient les fissures de la façade entre les pierres. Des papillons blancs voletaient au-dessus des broussailles du parc à l'abandon. La buée fardait les bouteilles glacées. J'ai rempli les verres et appelé les hommes.

Le chef a mis son képi sur le banc, déboutonné le rabat de poche de sa chemise bleue d'été où était sa boîte de cigares, en a offert, auprès de lui, à Bernard et au père Compain qui n'en ont pas voulu. Il a levé son verre vers moi avec un œil qui riait. Bernard a évoqué notre prochain chantier de nettoyage et rejointoiement des façades du logis.

— Ce n'est pas ce corbeau qui va nous empêcher de continuer !

Le père Compain a porté un biscuit salé à son chien attaché au laurier-sauce en nous plaignant :

— C'est bien, ce que vous faites, les enfants ! Mais vous n'êtes pas au bout de vos peines. Je ne sais pas si, à votre âge, je m'embêterais à restaurer ce château de l'ingénieur…

Il levait vers moi ses yeux voilés et las. J'ai détourné la tête. Si les vieux et les jeunes se liguaient pour condamner notre chantier !

J'ai profité de la liberté de cet après-midi-là pour partir au volant de ma Twingo, la carte du calendrier de la Poste ouverte près de moi sur le siège. J'ai filé à Cognac. Papa et maman Paillat m'y emmenaient avec leur C4 quand ils allaient vendre leurs cerises au marché, et j'allais me promener pendant qu'ils déballaient leurs cageots, impressionnée par les portes à colonnes et les épaules des atlantes jaillissant de la pierre des hôtels particuliers. Je dois sans doute à ces promenades mon goût des maisons.

Il pleut. Le ciel a pris une couleur de cendre après le déjeuner. Et les masques de pierre de l'avenue Victor-Hugo martelés par l'orage pleurent. Les passants fuient sous les parapluies. Le balai accéléré des essuie-glaces ne suffit pas à dégager le pare-brise.

Qu'est-ce qui te prend, Renée Villebois, de t'embringuer toute seule dans cette histoire ? Pourquoi n'en as-tu pas parlé au chef Rabier, au moins à Bernard ? Comment ce Mauvoisin, qui t'a certainement oubliée depuis longtemps, pourrait-il s'intéresser à toi et à ton logis ? Et si d'aventure il est le corbeau, comment réagirastu en face de lui ? Pourquoi n'as-tu pas donné son nom au gendarme ? C'est son métier !

Je longe les clôtures de la base aérienne. Nous y venions aussi les jours de fête de l'aviation. La base n'a plus le lustre d'antan, les Fouga Magister ont vieilli et les hangars semblent vides. La route suit, après, les ondulations des collines de Grande Champagne dont les sommets sont noyés dans l'orage. Les hauts murs des grosses maisons de Champagnauds s'enfoncent comme des coins dans les rangs de vigne. Mes phares allumés éclairent des panneaux de lieux-dits et des pancartes de vente en direct. Je m'arrête devant le petit pont sur le Né, à l'entrée de Crazac. La pluie battante cache les maisons du bourg. Une trouée de lumière entre les nuages entrouvre soudain les rideaux.

Norbert Mauvoisin habite à Crazac-sur-Né.

Je vérifie à mon compteur la distance avec Tourtras : trente kilomètres. Les battements de mon cœur accompagnent ceux des essuie-glaces. Je ne suis jamais venue à Crazac. La tentation de faire demi-tour est grande.

Je me suis répété toute ma vie : « Tu serais bien avisée de te tenir tranquille ! » J'ai toujours pensé que j'étais la fille d'une tragédie — on ne rejette pas ses enfants sans raison.

C'est pourquoi je me suis tenue sur mes gardes, ne me suis jamais permis le moindre faux pas, et vous ai élevés ainsi. Devant le petit pont sur le Né ondoyé par les vagues de l'averse, j'ai l'impression que, pour la première fois, je vais transgresser.

J'embraye, démarre lentement. Je roule dans ce qui doit être la rue centrale du village désert. Je monte vers l'église, oblique sous les moignons de tilleul de la place. Ceux que j'ai interrogés m'ont expliqué :

— Vous trouverez facilement. Sa maison donne sur la place. Un grand porche avec des fantaisies.

Devant le capot de ma voiture, à quelques mètres, de l'autre côté de la rue, se dresse la fantaisie d'un porche à créneaux comme une forteresse. Là est sans doute le domicile de mon tortionnaire du passé. Je laisse le moteur tourner. Le vieux portail de bois clouté est clos. La houle du vent heurte la voiture. Des poussières de tilleul pleurent sur le pare-brise.

Je quitte la place et longe au ralenti le haut mur qui se prolonge jusqu'à la sortie du bourg. Les pierres s'y éboulent. Un portail de fer qu'on n'a pas dû fermer depuis longtemps ouvre sur des dépendances. Le cylindre d'un cuvier en fibre de verre se dresse auprès d'un amoncellement de piquets. Un énorme chien noir attaché s'avance, prêt à bondir, sous le hangar, à la limite de la pluie, la langue entre les crocs. Il y a là un laisser-aller qui m'étonne.

La muraille de pluie grise semble s'éloigner. Je reviens vers le bourg, et j'aperçois près de l'église l'enseigne du magasin Économique que je n'avais pas remarquée sous la pluie battante. Des panneaux de presse et de gaz encadrent sa double porte où je me précipite, déclenchant le tintamarre du carillon de l'entrée.

Quelques pains à la croûte triste attendent dans une panière d'osier. Des flacons et des boîtes d'huile, quelques kilos de sucre et de pâtes garnissent une gondole.

Une femme sort du fond de sa boutique en serrant frileusement son gilet sur sa poitrine. Je pose une *Charente Libre* sur la caisse. Le moteur du vieux comptoir réfrigéré bourdonne sourdement.

— Les gens de Crazac ont de la chance d'avoir un magasin comme le vôtre, dis-je pour parler.

La marchande au long visage austère me dévisage comme si j'avais prononcé une incongruité, et hausse ses épaules étroites.

— Oh ! vous savez…

J'ajoute :

— Ils achètent dans les grandes surfaces et viennent chez vous quand il leur manque quelque chose.

Elle ne nie ni n'acquiesce. Et se décide quand je vais m'en aller.

— Lorsque je fermerai, personne ne me regrettera.

— Peut-être qu'ils s'apercevront des services que vous leur rendiez.

Elle hausse encore les épaules. La lumière devient plus vive. La trouée entre les nuages s'est élargie. Je choisis une boîte de sardines et, en ouvrant de nouveau mon porte-monnaie :

— Vous avez une belle propriété, là, en face de chez vous.

Je désigne le porche crénelé de Norbert Mauvoisin.

— Elle était bien plus belle, il y a trente ans, dit la marchande avec un gloussement en cherchant dans sa caisse. Le portail était toujours ouvert. En cette saison les lauriers-fleurs en pots et les citronniers étaient disposés sur la terrasse.

— Ce n'est plus le cas ?

Une ombre de sourire glisse sur sa figure triste.

— Il a tout fait de travers. C'est un fou. Il voulait ce qu'il y a de plus beau, les plus gros tracteurs, la plus grosse voiture. Il a eu la première machine à vendanger de la commune. Il a refusé de vendre son cognac en 1990, lorsque le commerce a repris. Il trouvait qu'il n'était pas assez cher. Ses chais sont pleins maintenant, et personne ne veut de ses eaux-de-vie.

Elle glousse à nouveau :

— Il mourra le plus riche du cimetière !

L'éclair dans ses yeux gris m'impressionne. J'attends, le journal sous le bras, la boîte de sardines dans la main. Elle sort de derrière son comptoir et marche près de moi comme pour m'ouvrir la porte.

— La pluie s'est arrêtée enfin…, dit-elle.

Et puis elle continue, plus bas, avec un débit plus rapide :

— Il est tombé malade. Ils l'ont opéré une fois, l'an dernier. Ils ont recommencé il y a un mois. Il va à Bergonié pour des séances de rayons. Il paraît que le foie serait pris.

— Il y a un mois, vous êtes sûre ?

Elle dodeline. Nous contemplons en silence l'important porche-forteresse. Je remarque une plaque de fer rouillée en applique sur un merlon. C'est une vieille réclame d'assurance. Les Charentais étaient fiers d'attester sur leurs porches qu'ils étaient bien protégés. Je demande :

— Il s'agit bien de Norbert Mauvoisin ?

La marchande tourne vers moi un regard hostile, regrettant sans doute d'avoir trop parlé. Elle m'ouvre la porte sans un mot. Je la salue. Sa réponse se confond avec le carillon.

Le soleil me réchauffe. Ce magasin est une vraie glacière. Je me retourne. La tête inclinée de la marchande m'observe.

Norbert Mauvoisin était cloué par la maladie à l'hôpital il y a un mois, il ne peut donc pas être l'auteur des lettres anonymes. Je me suis trompée. Je démarre en examinant encore les pierres noircies de son porche. La plaque rouillée est bien celle de l'assurance Le Soleil. Je n'éprouve ni satisfaction, ni pitié, à la nouvelle des souffrances de l'individu qui s'est acharné sur moi pendant mon enfance et ma jeunesse.

La tête de la femme n'a pas bougé derrière la vitre. Elle a pu avoir à souffrir, elle aussi, de Norbert Mauvoisin, avec sa figure et son allure disgracieuses.

La nuit suivante, comme je m'y attendais, Mauvoisin et les achets de mon cauchemar ont rendez-vous avec moi. Je me lève pour dissiper les bouffées d'angoisse et me réfugie, après les toilettes, dans la cuisine pour boire un vere d'eau. Une phrase de la marchande me revient : « Il voulait toujours ce qu'il y a de plus beau. »

J'étale sur la table les photos accumulées dans le sous-verre sur le buffet. Il y en a tant que les plaques de verre bâillent. Je cherche la photo de nos noces. Est-ce que j'étais belle lorsque Mauvoisin me poursuivait ? Je vais vers mes dix-sept ans en robe de mariée. On est toujours beau quand on a dix-sept ans et qu'on se regarde trente-cinq ans après. Je n'ai pas l'habitude de la complaisance avec moi. Est-ce que j'aurais exagéré dans ce sens ? Je ne suis pas laide, c'est vrai, mais j'ai le type de la blonde nordique aux traits lourds et aux yeux clairs, qu'on remarque. Et j'en ai eu honte. Bernard a de l'allure auprès de moi, élégant, mince, en costume sombre. Je porte le voile et la couronne de fleurs sur la tête comme une première communiante. Le voile ne contient pas tout le foin de mes cheveux qui débordent. J'essaie de dresser le menton, mais l'objectif me gêne. J'esquisse un timide sourire.

J'en veux à ma mère d'avoir fait de sa fille ce gibier craintif de l'Assistance publique.

Pourquoi m'a-t-elle abandonnée ? Est-elle encore de ce monde ? Si je le voulais vraiment, je pourrais le savoir. Vous m'aideriez dans les recherches, avec les moyens modernes dont on dispose.

À ce moment-là, Bernard entre dans la cuisine, en chemise, les yeux brouillés de sommeil.

— Qu'est-ce que tu fais ? me demande-t-il.

Les photos sont devant moi. Le tube de néon grésille. Je balbutie. Nous regardons ensemble la pendule. Je le sens inquiet. Il a compris que je ne vais pas bien. Il ne m'adresse pas de reproche.

— Viens te coucher.

Il m'aide à remettre les photos en désordre dans le sous-verre. Nous retournons dans la chambre.

— Il faut dormir, m'ordonne-t-il en éteignant la veilleuse.

Il me cale contre ses jambes. Je ne bouge pas. J'entends son souffle s'allonger.

Je retrouve la petite fille que j'étais sur le chemin de l'école. Je ne la vois jamais insouciante. Elle avait toujours le visage triste, ne souriait jamais. C'est peut-être pour cela que les autres écoliers l'avaient choisie comme souffre-douleur. Les enfants s'acharnent toujours sur les faibles. Ils lancent des pierres au malheureux chien pelé, qui se sauve en boitant.

Heureusement mon cousin, petit Maurice,

me rejoint et me murmure avec sa voix rauque, dans notre cabane en acacia au bord de la voie :

— Tu vois ces rails… On les suivra, dès que nous serons assez grands. Ils nous conduiront à Bordeaux, et personne ne saura que nous n'avons pas de parents.

— À La Rochelle, c'est mieux.

— À La Rochelle, si tu veux !

J'ai cru longtemps, dur comme fer, en la fable de petit Maurice. J'avais confiance. Il est parti trop vite, sans moi. Quand il est mort, à douze ans, je suis tombée malade.

Je ne bouge pas. Je parviens à rester immobile dans la cage des bras et des jambes de Bernard qui dort. Je devais ressembler, petite fille, à ces bâtards de chiens errants que les garnements poursuivent. Mme Girard, l'institutrice, se mettait en colère après moi, les jours où j'avais mal aux oreilles. J'étais fragile des oreilles, et j'ai traîné pendant plusieurs hivers des otites chroniques que les médecines n'arrivaient pas à guérir. La Girard m'interpellait quand elle me voyait arriver dans la cour la tête enveloppée de bonnets. Elle me prenait par l'oreille, m'enfermait dans sa classe, et me donnait des devoirs que, terrifiée, je n'arrivais pas à faire. Alors, elle se mettait en colère et me frappait. Une douleur vive me traverse encore le crâne aujourd'hui au souvenir de ses coups bien ajustés sur mes oreilles.

Trois ou quatre corrections ont suffi. Même par grands froids et les oreilles suppurant d'otites, j'ai mis dans ma poche, par la suite, les bonnets et le coton avec lesquels maman Paillat me protégeait, et je suis entrée tête nue à l'école. Je m'évitais ainsi des violences qui me laissaient étourdie toute la journée.

J'ai dû m'endormir. Je me réveille.

Je me sens à l'abri dans la chaleur de mon mari qui me serre en dormant. On ne sait pas toujours si certaines histoires sont des souvenirs personnels. On les a tellement entendues quelquefois qu'il semble qu'on en a la mémoire. Ce n'est pas le cas de mes premiers pas dont j'ai la certitude de me souvenir. Toujours est-il que j'avais moins de dix-huit mois. Des souvenirs de cet âge-là sont donc possibles.

Je me vois bébé, et je marche. Je cours maladroitement entre une succession de petits lits blancs. La distance est considérable d'une porte à l'autre du dortoir du Foyer de l'Assistance parcouru par un chemin de linoléum vert d'eau. Je tends les mains vers la porte avec un gazouillis joyeux, la touche, et repars dans l'autre sens.

Des femmes en blouse blanche circulent autour de moi, me parlent. Les murs sont blancs. Les lits sont blancs. La cabine de la surveillante est fermée par un grand rideau blanc. Et c'est mon premier souvenir.

Personne n'a voulu de moi dans les familles d'accueil. J'étais trop blonde, trop marquée. Les premiers mois de ma vie se sont passés dans ce Foyer de l'Assistance à l'Enfant de la rue du Minage. Et puis tout d'un coup on m'a retirée de cet univers.

Plutôt que de prendre le train ou le car, papa et maman Paillat avaient demandé au mécanicien Barreteau de les accompagner avec sa Vivaquatre. On leur a offert de choisir l'enfant qu'ils voulaient. Papa n'a pas hésité. Ses engagements connus dans la Résistance clouaient le bec à toutes les mauvaises langues.

Ils m'ont conduite jusqu'à la voiture dans la cour. Maman Paillat m'a prise sur ses genoux à l'arrière. Et c'est mon deuxième souvenir. Un paysage vert défile derrière la vitre, rempli d'arbres et de vignes. Il y a du soleil. Je ne pleure pas. J'écoute. Je regarde, sans rien dire. Je respire des odeurs nouvelles. Le visage de cette femme, que je ne connais pas, est tout près du mien, et me sourit. Elle a un long nez pointu déjà sillonné de rides. Je ne sais pas où je vais.

On roule. Les vignes succèdent aux vignes. Le voyage me semble sans fin. Maman Paillat s'écrie soudain : « Elle a fait pipi, la coquine ! Je suis toute mouillée ! »

J'ai refusé de manger au début. Je vomissais. Je régressais. Je suis devenue toute molle, incapable de marcher.

Papa et maman ont cru que cela allait me passer. Ils avaient déjà un fils, Marcel, âgé de trois ans. Ils m'avaient prise parce qu'ils voulaient donner une petite sœur à Marcel, l'accouchement s'étant mal passé et maman Paillat ne pouvant plus avoir d'enfant. Et puis, grâce à moi, ils touchaient l'allocation et bénéficiaient des assurances sociales. Papa travaillait comme journalier dans les vignes, maman gardait les barrières. Ils ont fait ce qu'ils ont pu, m'ont câlinée, parlé, amenée voir les lapins sous leur toit au bord de la voie. Ils m'ont mise à dormir avec Marcel. Mais, comme je continuais de dépérir, ils se sont demandés si l'Assistance ne leur avait pas confié une enfant anormale.

Le médecin Audebert de Châteauneuf les a rassurés. Ma constitution était même, selon lui, robuste.

— Vous avez l'habitude des pieds de poireau ou des broches de vigne, a expliqué le médecin. Le plant n'est pas vigoureux, les premiers temps. On dirait qu'il meurt. Et puis le voilà qui se redresse, et rattrape le temps perdu. C'est la même chose avec votre Renée, laissez-lui le temps de s'habituer. Tout devrait bientôt s'arranger.

Il a ajouté, parce que maman n'était pas convaincue.

— Méfiez-vous de ne pas commettre de bêtises en voulant trop bien faire. Laissez-la tranquille. Le mauvais jardinier arrose trop, et noie son plant.

La visite, quelques jours plus tard, du directeur de l'Assistance a été celle de la dernière chance. Il a bien voulu croire que mes parents ne m'avaient pas fait subir de mauvais traitements, et a accepté les certificats du médecin. J'étais dans un tel état qu'il ne m'a accordé que trois jours. Si je n'allais pas mieux dans trois jours, il me retirait aux Paillat.

Ma cervelle d'enfant a dû percevoir la menace. Trois jours plus tard, lorsque le directeur s'est présenté devant les yeux mouillés d'émotion de maman, le miracle s'était produit. Je n'étais pas encore vaillante, mais je tenais debout. J'ai esquissé quelques pas devant le représentant de l'administration.

Et c'est mon troisième souvenir. Je ne sais pas si le directeur est là, mais je suis sûre qu'il s'agit de mes tout premiers pas sur la terre battue des allées du jardin. Le soleil scintille sur le grillage du bord de la voie. Les carrés sont pleins de pousses vert tendre. L'euphorie du souvenir a ajouté des fleurs blanches aux acacias et je respire leur parfum sucré. On est au printemps 1947. Un sifflement aigu, et déjà familier, retentit au loin sur les rails. Le tac-tac de la machine qui se rapproche grandit, et elle surgit dans un grondement de tonnerre, rouge, lançant une fois encore son cri joyeux, que je crois adressé à moi.

Je me blottis plus près encore de Bernard. Je voudrais me lover si je n'étais pas si grosse. Je respire son odeur. Forcé par moi, il bouge, étale sa large main sur ma poitrine.

Si ce n'est pas Norbert Mauvoisin, le corbeau, qui est-ce ?

II

Les murs

8.

Tu nous as appelés tous les jours, Catherine, après l'accident de ton père. Tu nous as téléphoné de ces lieux qui font désormais partie de ta vie, et que tu nous as appris : via Veneto, piazza di Spagna. Les téléphones portables permettent cela. Nous entendions bourdonner les voix et tinter les fourchettes de la trattoria où vous étiez à table. Tu m'as demandé :

— Faut-il que je vienne ?

— Non, ma chérie. Ton père traîne la jambe, mais il se prépare à attaquer la deuxième étape des travaux.

— Et le moral ? Que fait la police ? Toi, maman, comment te portes-tu ?

— Ça va, Cathy, ça va.

Tu étais sincère. Tu baissais la voix pour encourager les confidences. Je ne te disais pas que je ne dormais plus, que l'angoisse m'étouffait parfois.

Les rires ont retenti autour de toi. Mes réponses rassurantes te soulageaient. Et tu m'as dit, l'esprit déjà ailleurs :

— Je te passe Patrice, il veut vous souhaiter un petit bonsoir.

Nous connaissions mal Patrice. Nous ne l'imaginions pas autrement qu'en costume sombre de fonctionnaire. Nous le savions infiniment plus intelligent que nous, et le dialogue était difficile avec lui. Il insistait, malgré tout, pour que nous venions à Rome.

— Nous vous prendrons un billet pour l'audience papale. Ne tardez pas, si vous voulez voir le pape. Rome est pleine des rumeurs de sa succession.

— Nous viendrons bientôt, Patrice. Laissez-nous un peu de temps.

Je n'étais pas naturelle, me disait Bernard, moqueur, quand je m'adressais à Patrice. Je parlais pointu. Je m'en défendais. Mais c'était vrai que j'essayais de soigner mon langage.

Je suis allée chercher maman Paillat, qui n'était pas d'humeur à me suivre, pour lui montrer notre chantier pendant ces jours-là.

— Je n'ai plus envie de sortir, ma fille. J'ai vu d'ici que vous aviez refait la couverture.

Même le médecin vient me voir à la maison.

— Il faut bouger, maman, sinon nous ne pourrons plus te laisser toute seule.

Elle a haussé les épaules et, en soupirant, s'est appuyée du coude sur le bord de la table pour se mettre debout. Elle a une peur bleue de la maison de retraite. La SNCF lui a vendu sa petite maison jaune après l'installation de la barrière automatique. On y a semé une pelouse à la place du jardin, après la mort de papa. Bernard vient la tondre. Il laisse pousser les tiges qui sortent de l'ancien rang d'asperges.

Maman m'a montré l'armoire de sa chambre.

— Donne-moi mon sac et mon foulard, s'il te plaît.

J'ai déjà obéi des milliers de fois à cette demande avec joie. Elle signifiait : on sort, on va se promener.

Je me trompe, mais j'ai l'impression que maman a toujours eu le même sac, noir, avec un large fermoir à pivot doré.

Rien n'étonne maman, ni le mal, ni le bien. J'ai acquis auprès d'elle une part de ce fatalisme qui m'a permis de prendre mon destin en main. L'arrestation de papa par la Gestapo, puis son expédition dans un camp en Allemagne, ont bouleversé sa vie. Elle était enceinte de

Marcel, et elle l'a mis au monde sans son mari. Mais quand il est revenu, squelettique, après la Libération, elle ne s'est pas répandue en lamentations. Elle a retroussé ses manches et s'est mise à le soigner en remerciant le ciel de l'avoir ramené de l'enfer. Ils sont venus pour cela aussi me chercher à l'Assistance, rendant le bien pour le mal. Elle ne supporte pas l'égoïsme de Marcel, qui oublie sa mère et ne vient la voir que le jour de l'an.

Elle se plante sous le magnolia du milieu de la cour de Tourtras, appuyée sur sa canne, lève un regard distrait vers le toit, parce que je lui explique l'accident de Bernard, puis ferme les paupières et presse son poing ridé sur sa poitrine.

— Ça, c'est le paradis !

— Qu'est-ce que tu veux dire, maman ?

Son vieux nez amaigri hume les parfums mêlés des fleurs du magnolia et des tilleuls.

— Cette odeur...

L'importance des bâtiments ne l'impressionne pas. Les richesses de ce monde ne l'ont jamais séduite. Elle était pauvre, et ce qu'elle avait lui suffisait.

Elle clopine à mon côté jusqu'au balcon de la terrasse. Le soleil oblique souligne les gradins du cirque des collines. Les cimes du chêne d'Amérique et du cèdre sont immobiles. Il n'y a pas de vent. Cette fois elle ne dit rien. Le foulard sur la tête, le sac à main sur la saignée du bras, elle se tient comme à l'église. Elle prie, peut-être.

— Qu'est-ce que tu veux faire de mieux, à mon âge ! s'est-elle exclamée plusieurs fois quand je la trouvais le chapelet à la main en lui rendant visite.

Sa foi de charbonnier l'a soutenue. Elle a ouvert et fermé les barrières durant un demi-siècle, fait la vaisselle et la lessive de deux ou trois grandes maisons de Martignac. Elle m'a prise chez elle, et m'a aimée comme sa fille, même si l'adoption n'était pas possible parce qu'elle avait déjà un enfant.

Elle tousse. Ses doigts frémissent devant sa bouche. Elle ne va pas bien. Elle a le teint jaune. Le diabète l'épuise, et la prive de sa gourmandise, le sucre. Nous revenons vers la cour du logis. Je n'ose pas la soutenir par le bras. Sa respiration siffle. Elle dit la voix couverte :

— Cette véranda est belle au-dessus de la porte.

— On appelle ça une marquise.

Nous avions prévu de la supprimer. La grand-tante l'avait rajoutée parce que c'était la mode. Les marquises ont fleuri sur les façades charentaises pendant l'entre-deux-guerres. Parfois, comme si une ne suffisait pas, on en installait au-dessus des deux portes. J'imagine que maman a rêvé d'une marquise et qu'elle n'en a pas eu les moyens. À cause d'elle, j'ai envie de conserver la marquise.

Nous attaquons maintenant les murs de façade. Nous commençons par tailler la glycine qui s'est allongée et a rampé sur le muret qui sépare la cour de l'avant-cour. Elle a enfermé dans ses bras puissants les barreaux de fer de la grille, qu'elle a ployés et descellés.

— Fais attention ! dis-je à Bernard qui l'attaque sans précaution à la scie et à la serpe. Il ne faudrait pas qu'elle crève.

Les guirlandes des dernières grappes de ses fleurs embaument cette matinée de fin juin.

— Tant pis si elle crève ! À cause d'elle, la grille est perdue.

— Elle a peut-être plus de cent ans.

— Sûrement. Elle a la peau dure. Elle résistera.

Je hausse les épaules. Mais nous passons la journée à couper ses branches, les dissocier des barres de fer qu'elle a tordues, dégager le mur, et nous y mettons le feu.

Le lendemain, Bernard dresse les piliers de

son échafaudage avec l'aide de Philippe, qui transporte les madriers avec son tracteur. Efflanqué autant que Bernard est large, il n'a pas épaissi en vieillissant, seulement pris un peu de ventre. La vente de sa propriété l'a curieusement rasséréné. En lui procurant de l'argent, elle l'a soulagé d'une charge qui lui était devenue insupportable. Il se sentait dans une impasse. Il travaillait et, au bout du compte, ne tirait aucun revenu. Si ses enfants étaient restés avec lui, il y aurait trouvé du sens. Il nous en parlait quelquefois, et nous l'écoutions avec inquiétude. Il n'est plus amer comme avant. Il enviait la vie tranquille de Bernard et sa retraite de cheminot. Bernard boitille encore en portant ses planches.

Ce soir-là, il monte à l'échafaudage, branche la sableuse sur le compresseur dont il me parlait depuis longtemps comme d'un jouet d'enfant, l'essaie, se retourne, ravi, vers son frère :

— Tu as vu ?

Là où passe le jet du pistolet, la pierre noircie retrouve sa blondeur. Philippe l'essaie à son tour. Ils testent les différents réglages. Bernard m'appelle parce que je suis restée en bas.

— Viens. Tu peux le faire marcher si tu veux. C'est facile.

J'aime ce travail de nettoyage qui se voit. Je

ne suis pas de ces ménagères armées sans cesse de leur chiffon et de leur balai, vous le savez. Je ne suis pas méticuleuse. Je brasse rapidement la vaisselle et quelquefois, toi Jacques surtout, tu m'as reproché des traînées sur des verres. Je veux que ces choses soient expédiées, et l'efficacité de cette sableuse me réjouit. Car après les réglages, c'est moi qui nettoie, et qui suis maculée de poussière à la fin de la journée comme un ouvrier de carrière. Bernard rejointoie les pierres au ciment blanc. Ce travail de patience lui va.

L'activité occupe mes bras et mes jambes, mais l'esprit vagabonde. Il m'arrive de devoir soudain essuyer mes yeux que mouillent sottement mes larmes, et je me graisse la poussière sur les joues avec mon mouchoir.

— Celui qui vous traite ainsi est, à mon avis, quelqu'un qui vous connaît bien, déclare le chef Rabier qui a pris des habitudes chez nous.

Le gendarme a sa chaise dans notre cuisine, dos au buffet. Il pose son képi sur le bout de la table, la photo de ses enfants fixée à l'intérieur de la coiffe tournée vers nous. Même Pompon s'est laissé apprivoiser par le chef. Il saute sur la tablette de la fenêtre à son arrivée et l'écoute, roulé en boule, la queue enroulée autour de lui.

On dirait qu'il comprend des choses.

— L'auteur des lettres anonymes peut avoir des informations sur vos origines, me dit-il. Nous examinons les archives de l'Assistance pour savoir si quelqu'un n'a pas fait récemment des recherches sur vous.

J'ai servi un café au chef. Il boit à petites gorgées, mais je sens bien que, comme le chat pour lui, il me guette. Je ne lui ai rien lâché au sujet de Mauvoisin. Il tourne autour de moi parce qu'il croit que la clé de l'énigme est peut-être en moi. Il me soupçonne. Bernard ne s'est aperçu de rien. Il reçoit Rabier comme un ami venu nous aider.

— J'ai vérifié dans l'Évangile, dis-je. *Celui qui combat par l'épée périra par l'épée* est dans le récit de la Passion selon Mathieu.

Le chef hoche la tête.

— Jésus le dit à Pierre. Peut-être que le corbeau est assez fou pour se prendre pour Dieu…

Les spécialistes du laboratoire ont analysé les pages des lettres anonymes. Les caractères ont été découpés dans un vélin deux arches utilisé pour les livres ou les journaux du XIXe siècle. Cela ne nous surprend pas. La couleur de l'encre, la forme des caractères étaient à l'évidence semblables à celles utilisées sur des livres anciens. J'ai toujours aimé les antiquaires et les bric-à-brac des foires à la brocante où je vous ai traînés, tout petits, pour n'acheter que des objets sans valeur. Mais les chenets, barattes en bois, bougeoirs, verres, vieille plaque à repasser, poêle à marrons ou vinaigrier, que je rapportais, étaient pour moi comme un trésor. En me les procurant, je me fabriquais une histoire et je comblais le vide de mon passé. J'en ai rempli des caisses que je compte bien vider quand nous nous installerons dans le logis. Bernard n'a pas toujours apprécié. Il s'est fâché à cause d'un jeu de rasoirs, un pour chaque jour de la semaine, tous bien rangés dans une boîte.

— Tu as acheté ça pour moi ? Qu'est-ce que tu veux que j'en fasse ? Les lames sont rouillées !

J'avais éprouvé un penchant subit et inexplicable pour ces vieux rasoirs d'autrefois au métal terni, et j'avais gaspillé mon argent.

Mme Brégeon m'a accompagnée souvent, m'aidant à apprécier les vieilles choses. Ma première patronne a toujours été avec moi de bon conseil. D'une certaine façon, elle aussi m'a adoptée. C'est une femme qui a de la classe. Elle est incollable sur les antiquités, et les marchands ne peuvent pas la rouler.

Nous sommes passées ensemble chez l'antiquaire du Plainaud à Châteauneuf. Son arrière-salle est pleine de livres empilés sur le sol humide. Le commerçant nous y a accompagnées et a allumé la lumière. Mme Brégeon, tout en noir, dans sa maigreur de vieille dame, a ouvert la porte vitrée de la bibliothèque réservée aux livres reliés de cuir, et j'ai été attirée.

J'ai feuilleté un livre au hasard. Les lignes se sont mises à danser devant mes yeux tandis que je respirais l'odeur du vieux papier taché de rouille.

— Vous avez trouvé quelque chose, Renée ? m'a demandé Mme Brégeon.

— Non, rien.

J'ai remis le livre dans son rayon. Un radio-cassette passait les *Saltimbanques* en sourdine. L'antiquaire appuyé au chambranle m'épiait, me semblait-il, bras croisés. Je me suis précipitée vers la sortie, sans saluer, abandonnant Mme Brégeon qui m'a rejointe peu après sur le trottoir.

— Qu'est-ce qui vous arrive, Renée ? Quelque chose ne va pas ?

— Je ne sais pas…

La tête me tournait. Nous avons marché sur le bord de la route.

— Je suis folle. Il m'a semblé avoir dans les mains le livre du corbeau. Les caractères sont les mêmes, le papier…

— Vous n'êtes pas folle. Ce sont des livres anciens. Je comprends votre émotion. Voulez-vous que nous y retournions ? Quel était le titre ?

— Je ne le sais même plus. *Les Époques de la nature*.

Aucune page ne manquait. Croyez-vous qu'un antiquaire pourrait être le corbeau ?

— Si c'est le cas, les gendarmes n'ont pas fini. Ils vont devoir fouiller tous les magasins du pays !

J'ai quand même fait le détour par la gendarmerie, après avoir raccompagné Mme Brégeon chez elle. Le gendarme de service s'est étiré sur sa chaise et a glissé la tête dans le couloir derrière lui.

— Chef, c'est pour vous ! Mme Villebois.

Le chef Rabier m'a évité l'affreuse banquette de skaï noir de la salle d'attente. Il a pris mes doigts dans sa main un peu molle et m'a entraînée vers son bureau où flottait une odeur de tabac refroidi. La grève des employés d'une grande maison de cognac faisait les gros titres du journal sur la pile de papiers. Il a bougonné avec un geste vague :

— On passe son temps à s'occuper de ça !

Il a sorti une tablette de magnésie et l'a croquée pour soigner ses aigreurs d'estomac. Il n'a pas été convaincu quand je lui ai suggéré d'aller visiter les antiquaires.

— Pourquoi plus eux que les autres ? m'a-t-il demandé en me fixant, les coudes sur sa table, le menton sur les mains. Il y a de vieux livres partout dans ce pays. On a eu les moyens d'apprendre à lire et à écrire plus tôt qu'ailleurs.

Il a secoué la tête :

— On ne peut malheureusement pas fouiller toutes les maisons et investiguer tous les vieux almanachs dans les greniers !

Il a déplacé les papiers sur son sous-main et m'a regardée encore dans les yeux.

— Je croyais que vous aviez autre chose à me dire.

J'ai soutenu son regard.

— Non, chef Rabier. Qu'est-ce que vous aimeriez que je vous confie ?

Nous sommes restés ainsi face à face. J'avais mon sac sur les genoux. Il m'a raccompagnée à la porte de la gendarmerie.

— Prenez soin de vous et de votre mari. Je passerai bientôt me faire offrir un café !

9.

Un soleil exceptionnel a brillé pendant la première quinzaine de juillet. Les cigales accompagnaient la montée du jour. À midi on avait l'impression d'être dans un four.

Nous n'avons pas arrêté pour cela notre travail. Levés à cinq heures, parfois quatre, nous travaillions jusqu'à ce que la brume de chaleur tremble comme de la gélatine dans la vallée.

J'ai aimé ces levers matinaux qui m'épargnaient les attentes de l'aube.

Bernard et moi traversons le village endormi sans entendre un moteur. Les tourterelles gémissent. Nous entrons dans l'avant-cour et promenons un regard endormi sur les bâtiments puis la vallée où la rivière libère ses fumées dans un ciel couleur parme. J'enfile ma longue blouse de coton bleu, boutonnée jusqu'au col, presse la détente du pistolet à sable. Le moteur du compresseur se déclenche.

Le temps passé se mesure à la surface de pierre nettoyée. La poussière m'imprègne tandis que la chaleur monte. Je goûte le plaisir de l'artisan qui touche sur le chantier le premier bénéfice de sa peine : je fais un travail qui se voit. Bernard s'active à l'autre extrémité de l'échafaudage avec son auget et sa truelle. Il a tombé la chemise pour travailler en gilet de peau.

Et le logis perd peu à peu ses airs vieillots et tristes. La pierre de Saint-Même, dont il est construit, retrouve sa belle couleur crème à reflets blonds. Les voisins qui passent s'arrêtent, et prennent l'allée pour nous avouer leur admiration devant sa beauté. Je regrette votre absence, Catherine et Jacques. Vous changeriez certainement d'avis au sujet de l'inutilité de nos travaux. Vous avez décidé, pour nous punir, de ne pas passer un jour de vacances avec nous. Vous êtes en voyage au bout du monde, et vous nous envoyez des cartes postales de villages déshérités et moins beaux que Tourtras. Vos bribes de mots nous font mal au cœur quand nous rentrons à midi et les trouvons dans la boîte.

Nous nous réfugions alors dans la fraîcheur de la venelle. Nous « coffrons » les volets. Le pays prend, l'après-midi, des allures de désert.

Même les chiens se terrent dans l'ombre de leur niche.

Il n'a plu qu'un seul jour. Un orage s'est précipité dans le lit de la rivière. Nous avons assisté à son déferlement, d'en haut, aux premiers miroitements de ses éclairs. Et, tandis que nous nous empressions vers la venelle, il est allé plus vite que nous. Il nous a trempés en quelques mètres.

La pluie a tambouriné une partie de la nuit. Et le lendemain matin, le soleil se levait, rond et doré, dans l'air respirable et le ciel lavé.

Le beau temps a favorisé nos travaux. Début septembre, il ne nous restait plus que la façade sud à nettoyer. Les fenêtres aux croisées à meneaux étaient superbes. Bernard leur imaginait des vitraux. Il avait repoussé l'installation de son échafaudage au sud à la fin de la saison, quand le soleil aurait perdu de sa force. Il était désormais noir comme un grillon. Ma peau laiteuse avait souffert, mais j'étais assez fière de mon hâle, à force de crèmes solaires.

Les menaces des lettres anonymes semblaient s'être éloignées. La tension s'était relâchée. Les voisins étaient partis en vacances. Le village s'était vidé d'une partie de sa population. D'autres les avaient remplacés en sandales et en short. Bernard avait passé plusieurs soirées jusqu'à ne plus y voir, à jouer aux boules avec des vacanciers de Béthune qui appréciaient notre allée de tilleuls pour leurs parties de pétanque. Nous tirions déjà des plans sur la comète en nous disant qu'avec un aménagement sommaire nous pourrions louer la maison des domestiques pour les vacances, l'année prochaine.

Je renaissais à mesure que la maison proclamait sa blondeur au grand soleil. Bernard avait resserré les ferrailles du paratonnerre fixé au pignon nord et, tandis que les orages de fin de saison étaient désirés, je sentais revenir en moi une certaine assurance. Je voulais croire que notre tourmenteur s'était lassé. Peut-être en avait-il assez de se moquer de nous.

Mais quelqu'un est venu tambouriner à notre porte, la nuit du 3 au 4 septembre…

Je ne dormais pas. Comment ne me suis-je aperçue de rien ? On frappe à coups de poing et de pied dans les contrevents.

Je sursaute, secoue Bernard.

— Hein ? Quoi ?

Il se précipite.

130

— Venez vite ! Le logis brûle ! On a appelé les pompiers. Ils ne sont pas encore là.

Je ne prends pas le temps de m'habiller. J'enfile ma robe de chambre sur ma chemise. Un grand vent chaud mugit dans les branches du cerisier. Des reflets rouges dansent sur les murs de la venelle. Je respire surtout l'odeur du feu. La nuit sent le brûlé. Je crie. Nous nous mettons à courir.

Le pin-pon des camions-citernes gravit la côte de Tourtras. Ils surgissent dans l'allée en même temps que nous. Deux camions, une voiture. Le vent couche les flammes et brasse des tourbillons de fumée plus noirs que la nuit.

C'est la maison des domestiques qui brûle. Je crois vivre un de mes cauchemars. Des badauds sont déjà dans l'allée. Même la vieille Marie Roy. Le portail du porche est ouvert. Le père Compain s'approche.

— Je suis sorti dans ma cour. J'ai vu les flammes. Heureusement, sinon tout le village y passait !

Philippe a branché le tuyau d'arrosage. Il s'approche du feu armé de cette lance dérisoire. Bernard l'a déjà rejoint. Les pompiers courent en déroulant leurs grands tuyaux, leurs figures protégées par des visières en plexiglas. L'un d'eux me repousse vers l'allée :

131

— Reculez !

La maison des domestiques n'est pas la seule à brûler. Le feu s'est répandu dans les écuries, les étables. Les vieux bois des charpentes, des crèches et des stalles, brûlent comme de l'étoupe. Je ne sais plus où est Bernard. Des voitures de curieux arrivent et stationnent entre les tilleuls. Je sens la chaleur du feu. On dirait qu'il a pris aussi plus bas dans le chai du pressoir et de la distillerie. Soudain les flammes en transpercent le toit, projetant les tuiles, et elles se dressent, roides, vers le ciel. Nous reculons avec des cris d'effroi. Même les pierres brûleraient à la fin d'un été aussi sec. On dirait d'ailleurs qu'elles brûlent. Les lances d'incendie crachent des tonnes d'eau. Un pan du toit de la maison des domestiques s'effondre.

Je cherche toujours Bernard. J'aperçois le chef Rabier qui s'approche en compagnie de deux gendarmes. Je croise les pans de ma robe de chambre sur ma poitrine comme si j'avais froid. Il appuie sa main sur mon épaule, se penche à mon oreille.

— Ce n'est pas possible ! Ma pauvre amie, ça continue !…

Les vents tourbillonnants ne facilitent pas la tâche des pompiers. Ils veulent couper le chemin du feu pour l'empêcher de gagner le hangar et la grange de l'autre côté de l'allée. Un nuage de fumée nous enveloppe. Un pompier crie :

— Retirez les voitures du passage !

Un autre camion rouge arrive en renfort. Rabier galope. Bernard monte vers moi en boitillant, la figure, les cheveux, et les vêtements noircis. Le feu a pris dans les broussailles de la cour. Les pompiers arrosent même les arbres.

— Ils vont y arriver, m'affirme-t-il, rassurant, ils ont ce qu'il faut.

Mais il n'ose pas me regarder en face. Il est essoufflé. Les gens s'approchent pour écouter ce qu'il me dit. Il a peut-être raison, les flammes semblent moins fortes. Les pompiers les noient. Mais le mal est fait. Quelques-unes surgissent parfois, éclairant de leurs langues jaunes les murs ravagés. Les lances alors se tournent vers elles.

La nuit revient. Quelques badauds font demi-tour. La femme de Philippe, Jeannette, ma belle-sœur, glisse son bras sous le mien, et je m'abandonne en gémissant contre elle, même si je ne l'aime pas beaucoup.

Comme les pompiers y voient moins, ils allument les projecteurs de leurs camions pour continuer d'inonder les cendres. Ils croient que le toit du pigeonnier fume aussi, et ils dirigent leurs jets vers lui. Des tuiles volent.

— Allez, viens, maintenant, me dit ma bel-le-sœur, il n'y a plus rien à faire. Viens chez nous.

Elle me tire. Je résiste. Sa robe est pleine d'odeur de fumée. Elle a, à côté d'elle, cette grande femme brune, infirmière, des maisons neuves à la sortie du village, que je connais de vue, à qui je demande :

— Quelle heure est-il ?

— Quatre heures.

L'heure de mes insomnies.

Le jour va poindre bientôt. Je suis soudain lasse. Elle me prend par le bras, de l'autre cô-té. Elle a de bons yeux noirs et francs. Je me laisse aller, toute molle. Je crois que, si elles n'étaient pas là pour me soutenir, je m'écrou-lerais. Je ferme les paupières, les rouvre pour chercher Bernard parmi les casques et les uni-formes à bandes fluo. Je le vois, et cède à l'in-firmière qui insiste :

— Venez !

Nous faisons quelques pas toutes les trois. J'ai conscience de peser une tonne contre leurs bras. Une tonne de détresse et d'épuisement. Je ne sais pas pourquoi, je me retourne vers le porche. Je m'arrache de leurs bras, et m'avan-ce, en criant :

134

— Bernard ! Bernard !

Il est devant moi, mais je ne le vois pas. Il me secoue par les épaules. Le chef Rabier accourt avec ses gendarmes. Je me tais, et tends le doigt en tremblant vers la porte piétonnière.

Rabier s'élance, lourdement. Bernard me serre dans ses bras. Le chef revient tête basse.

— Il y a bien une lettre sous la main de fatma. Je n'ai touché à rien. Je vais prévenir le labo.

— Il n'y avait rien tout à l'heure ! s'écrie Bernard.

— Quand ?

— Quand je suis arrivé. Le portail était encombré, je suis passé par la porte piétonnière, je l'aurais vue.

— Alors elle a été mise depuis.

Le corbeau était parmi les badauds, au milieu de nous. J'essaie de me rappeler les visages qui m'entouraient, à la lueur des flammes. J'ai peut-être en mémoire, sans même l'avoir remarqué, le mouvement de quelqu'un qui se serait déplacé vers le heurtoir.

Le chef s'adresse à Bernard à voix basse :

— Ramenez-la. Ce n'est pas la peine qu'elle reste là plus longtemps.

Il parle de moi comme d'une malade.

— Vous venez avec nous ? demande Bernard à Jeannette et à l'infirmière.

135

Je me laisse emmener. Nous remontons. Je ne peux m'empêcher de me retourner, malgré la recommandation de Bernard :

— Ne la regarde pas !

Le petit rectangle de papier est bien là, sous la boule de fer. J'imagine l'adresse en caractères découpés à l'encre un peu grasse : *Mademoiselle Renée Duval...* Je presse le poignet de Bernard.

— Tu me fais mal.

Le vent d'orage gronde dans les branches des tilleuls, chassant les nuages qui éteindraient les braises. Il est si vif que nous devons lutter contre lui pour avancer. Je demande machinalement à l'infirmière :

— C'est bien Perrochon que vous vous appelez ?

— Oui, Denise.

Je ne veux pas de l'infirmière avec moi, encore moins de la grande Jeannette. Je n'ai pas besoin de gardienne. Aussitôt que Bernard nous a laissées dans la cour de la venelle pour accourir vers le logis, je demande à ma belle-sœur, qui m'accompagne dans la cuisine, de rentrer chez elle :

— Va te coucher. Je te remercie. Tu dois être fatiguée, toi aussi.

— Non, je peux attendre un peu.

— Ça ira. Va-t'en ! Et vous aussi madame…
Perrochon.

— Vous êtes sûre ?

— Laissez-moi.

Jeannette reprend son gilet, posé sur le dossier d'une chaise, et s'en va, vexée, accompagnée de la jeune femme qui l'entraîne.

Je m'assieds dans le fauteuil au bout de la table. Je ne vais pas me coucher, je ne dormirais pas. Je regarde l'heure à la pendule. C'est le seul meuble de valeur de notre cuisine. Les collerettes de son boîtier en cerisier ont été peintes en noir à la mort de Napoléon III, qui a tant apporté à la Charente. Je me relève pour entrouvrir la fenêtre et bloque le battant contre la poignée de crémone. Le vent m'apporte les bruits lointains des moteurs dans la cour du logis. Je m'effondre sur la table, la tête sur mes bras croisés, et me mets à sangloter. Je me sens plus fille de Boche que jamais. J'ai mal partout, dans les bras, les jambes. Je souffre de la tête, avec de violentes nausées. Je tourne les yeux vers la croix et son buis bénit sur le mur.

J'ai toujours aimé les prières de l'église. Moi qui ne suis pas cultivée, ce sont les seuls textes que je connaisse bien. Toute petite, je ne me lassais pas des histoires de la Samaritaine et de Marie-Madeleine, ces femmes méprisées, que Jésus aimait. Il y a aussi cette autre, de ce pharisien qui vient trouver le Christ un soir et le félicite pour ses miracles. Jésus lui dit : « Sans naître de nouveau, on ne peut pas entrer dans le Royaume de Dieu. » « Comment peut-on renaître ? Peut-on rentrer dans le sein de sa mère une seconde fois ? » « Je te le répète, à moins de renaître de l'Esprit, personne ne peut entrer dans le Royaume… » Je ne comprenais pas trop ce que cela voulait dire. Mais cette obligation de renaître me donnait à rêver, moi qui étais mal née.

J'ai souvent répété pour moi les paroles du Christ sur la Croix :

— *Pourquoi m'as-tu abandonnée ?*

Je les prononce avec l'énergie du désespoir, les yeux mouillés. Pompon s'approche et saute sur la table. Je le tire à moi, le serre dans mes bras, sa chaleur me fait du bien.

Je ne sais pas comment, après avoir scruté tous les visages témoins de l'incendie, je retrouve parmi eux celui de petit Maurice, mon ami d'enfance. Ses parents sont morts de la poitrine à dix mois d'intervalle, sitôt sa naissance. Il me chuchote en souriant, ses yeux doux dans les miens :

— Poitrinaire ! Tu es un poitrinaire !

Les gamins le poursuivaient avec ces cris. Il

pose ses deux mains sur mes épaules, et de sa voix rauque :

— Je me fiche d'eux. On se mariera, un jour, ensemble. Et quand on reviendra, on leur en fera baver, tu peux me croire !

Il secoue mon épaule. Ce n'est pas lui. C'est Bernard, de retour. J'ouvre les yeux. Je me suis endormie, le chat près de moi.

— Pourquoi ne t'es-tu pas couchée ? me reproche Bernard.

Il est noir, sale. Il sent la fumée, moi aussi. Le petit jour bleuit aux carreaux.

— Le feu est éteint. Ils disent qu'il n'y a plus de danger. Deux gars montent encore la garde à cause du vent.

Il passe dans la salle de bains. J'écoute l'eau de la douche couler. La tête me tourne. Les oreilles me sifflent.

— Viens. On se reposera, même si on ne dort pas. Nous nous allongeons.

Le chef Rabier frappe chez nous à midi. Lui aussi a les traits tirés. Il entre, ennuyé, le képi sous le bras, nous tend la lettre du corbeau.

— Elle ne vous apprendra rien de nouveau.

Je lis, en me cramponnant à la table : *Celui qui combat par l'épée périra par l'épée, fille de Boche !* Il se racle la gorge.

— Le laboratoire n'a relevé aucune empreinte. Le corbeau découpe et colle ses caractères avec des gants. Il ajoute, embarrassé :

— Nous savons donc qu'il était parmi les badauds cette nuit. Il a été obligatoirement vu. Nous allons interroger tout le monde. Il ne peut pas être passé inaperçu !

— Il en est venu tellement ! dit Bernard.

— Nous allons reconstituer toutes les allées et venues, affirme-t-il, résolu. Nous essaierons de ne laisser filer personne au travers des mailles.

Sa détermination le fait rougir. Je ne le quitte pas des yeux. Mon regard le dérange. Il danse d'un pied sur l'autre, toussote, sort son calepin.

— Est-ce que je peux vous ennuyer dès maintenant en commençant par vous ? Pouvez-vous me rappeler le plus précisément possible ce qui s'est passé, ce que vous avez vu, et surtout tous les gens que vous avez croisés ?

Tourtras est passé au peigne fin pendant les jours qui suivent. Les gendarmes interrogent les vieilles familles, Philippe et Jeannette, bien sûr, le père Compain, Marie Roy, les Jollit, Auboin, Auffray, et les Thomas qui sont désormais les derniers viticulteurs du village. Et à l'autre extrémité du pays, ceux du Tourtras nouveau, avec ses maisons neuves sans mur d'enceinte, ses pelouses fleuries, et ses piscines, qui profitent du point de vue et du bon air de la vallée. Les Perrochon en font partie. On connaît mal ces gens venus d'ailleurs, dont certains ne sont même pas charentais. Ils se mêlent peu à nous, travaillent en ville, à Cognac et Angoulême.

Peu à peu se reconstitue le film assez précis des témoins de l'incendie. On parle d'une fourgonnette blanche, aperçue par plusieurs, plutôt mal garée sur le bord de la route à l'entrée de l'allée, dont personne ne connaîtrait le propriétaire.

Jour après jour, assis à notre table, le chef Rabier ajoute des pièces manquantes au puzzle de ses recherches. Je ne me rappelle pas, par ailleurs, les détails des jours qui ont suivi. Je sais que je me blottis contre mon mari en tirant fébrilement sur ma poitrine les pans de ma robe de chambre. Je fixe le vide, les yeux comme des miroirs.

Bernard m'a raconté qu'il faisait la cuisine et le ménage. Je refusais de sortir pour ne pas voir les murs détruits par l'incendie. J'étais sous le choc, anéantie, et je n'avais plus de force.

10.

Le médecin est venu. Il m'a donné quelque chose pour me reposer, des pilules de calmants qui m'ont enfoncée dans un peu plus de brouillard. Il a parlé de dissociation mentale. J'émergeais parfois, soudain lucide, et suppliais Bernard :

— Dis, tu ne vas pas m'abandonner ?

Il me prenait dans ses bras.

— Pour quelle raison voudrais-tu que je t'abandonne ?

La figure tragique de Louisette m'a beaucoup hantée pendant ces jours-là.

Je l'ai vue arriver au doyenné de l'Assistance, un soir de mes quinze ans. Papa et maman avaient dû me placer comme employée de maison à Angoulême. Je ne pouvais pas rentrer à Martignac tous les soirs, et je couchais, pour presque rien, et pour échapper à mes patrons, dans une chambre à trois lits du doyenné où je retrouvais l'odeur âcre des produits d'entretien de ma petite enfance.

Louisette a été installée sans explication, un vendredi soir, dans ma chambre. J'ai tout de suite flairé le drame. Elle était une grande et forte fille, aux prunelles et aux cheveux très noirs, presque trop distinguée pour être parmi nous, mais ça sautait aux yeux qu'elle avait quelque chose qui n'allait pas. Je l'ai entendue pleurer lorsque la lumière a été éteinte. Je lui ai chuchoté :

— Qu'as-tu ?

Elle n'a pas répondu, et un peu après, j'ai entendu qu'elle pleurait encore.

— Pourquoi es-tu là ?

Je lui ai raconté, dans le noir, mes patrons pharmaciens, les lessives, les vaisselles, les planchers à cirer, les enfants qui n'en avaient jamais assez et qui en profitaient avec moi.

Elle a cessé de pleurer pour m'écouter. Et quand je me suis tue, elle a parlé.

Elle avait mon âge. Elle aussi avait été placée dans une maison bourgeoise. Elle s'était laissée entortiller par les belles mines du fils de la maison. Et ce qui ne pouvait pas manquer était arrivé : elle était enceinte.

Le directeur du doyenné venait de lui administrer une raclée.

143

— Est-ce que je peux venir avec toi ? m'a-t-elle demandé.

Elle s'est glissée entre mes draps. Elle était toute froide. Je l'ai prise entre mes bras. Je me souviens de sa peau douce et de ses pieds glacés. Elle m'a fait toucher son ventre. C'était la première fois que je touchais le ventre d'une femme enceinte. Elle s'est endormie très vite à côté de moi. Moi, au contraire, j'ai été longue à trouver le sommeil.

Quand je me suis réveillée brutalement, elle n'était plus à côté de moi. Un frisson d'air froid agitait le rideau de la fenêtre ouverte de notre chambre. J'ai juste aperçu la plante blanche de ses pieds au moment où elle se jetait. Nous étions au deuxième étage. J'ai hurlé dans la nuit. Mes cris ont réveillé la maison. Je me suis précipitée dans l'escalier.

Louisette était allongée au milieu de la cour dans sa chemise de nuit de coton blanc, comme une mariée. J'ai eu cette vision d'une mariée en m'agenouillant à côté d'elle. Elle vivait encore, j'en suis sûre. Elle m'a regardée avant de fermer les yeux. Je me souviens de son regard. La lumière de notre chambre l'éclairait. La tache de sang s'élargissait sur les pierres. Son corps qui s'abandonnait gargouillait.

Le directeur m'a convoquée, le lendemain,

et m'a ordonné de me taire. Mes pharmaciens m'ont accordé une demi-journée pour assister à l'enterrement. Nous n'étions qu'une dizaine derrière le convoi funèbre, un matin d'hiver, sous un ciel d'acier poli. Je suis retournée au cimetière d'Angoulême, quelques années plus tard, pour rechercher la tombe de Louisette, et ne l'ai pas trouvée. Ma compagne d'une nuit a disparu comme elle est venue. Elle s'est évanouie dans le tourbillon de la vie. Qui sait que Louisette a existé, à part moi ? Je voudrais bien la retrouver un jour.

Elle s'accrochait nerveusement à moi dans mon lit comme si elle avait peur. Je me reproche parfois de ne pas avoir son courage. Je ne dis pas à Bernard que le dernier regard de ses grands yeux brillants me hante et me fascine. Mais il doit se douter de mes tentations, car il ne me laisse jamais toute seule. Il appelle notre belle-sœur, la grande Jeannette, lorsqu'il doit sortir, même s'il sait que je ne la supporte pas. Je surprends chez lui, parfois, des mouvements d'impatience. Alors, ma peur, qu'il se lasse et me quitte, revient. Je voudrais avoir la force de guérir, et je n'y arrive pas.

La pluie s'est mise à tomber la dernière semaine de septembre, et elle a persisté sans discontinuer, pendant une quinzaine, comme pour rattraper le temps perdu. Le thermomètre a dégringolé. Rien que le bruit du vent mouillé miaulant entre les murs de la venelle me donnait froid.

De temps à autre s'y mêlait le sifflement d'un train dans la vallée, qui remuait quelque chose en moi. Mais je secouais la tête. Je serrais sur ma gorge le col de ma robe de chambre. Bernard transportait des arrosoirs de fuel pour le poêle.

Et vous êtes arrivés ensemble, Jacques, Catherine et Patrice. Bernard vous tenait informés, mais il vous cachait mon état. Vous vous en doutiez parce que je ne vous parlais pas au téléphone. Je ne voulais pas. Il vous disait, en me tendant le combiné :

— Je te passe maman !

Je regardais l'appareil posé devant moi comme si je ne savais pas m'en servir. Il insistait, tout bas.

— C'est Catherine, dis-lui un petit bonjour.

Je secouais la tête, les larmes aux yeux. Il reprenait le téléphone et vous disait, l'air faussement enjoué :

— Renée a les mains dans la vaisselle, elle ne peut pas vous parler.

Je n'ai manifesté aucune joie à votre venue

146

à la maison, pour la première fois de votre existence. J'étais déjà dans mon lit, à six heures de l'après-midi. Je n'ai pas quitté la chambre, vous ai à peine tendu la joue sur l'oreiller. Les drogues n'y étaient pas étrangères.

— On dirait qu'elle ne vit plus sur la même planète ! vous ai-je entendus murmurer.

Vous n'aviez pas complètement tort.

— Le traitement du médecin est peut-être trop fort ? Les médicaments l'assomment et l'empêchent de réagir.

Vous êtes allés chez le médecin, qui a refusé pour l'instant d'alléger le traitement. Vous êtes repartis pour Rome et Paris, désolés, vous demandant si malgré ma constitution robuste je n'avais pas atteint un point de non-retour, et sincèrement inquiets pour votre père vieillissant obligé d'assumer tout seul les charges de cette nouvelle épreuve.

Mais, sans que je le manifeste, je ne m'en rendais pas vraiment compte moi-même, votre visite m'a ressourcée. Vos paroles ont été bienfaisantes. En tout cas Bernard dit que je n'ai pas cessé de vous réclamer après votre départ. Et je me suis levée en même temps que lui, pour la première fois depuis l'incendie, trois jours après.

Nous avons pris notre café ensemble tandis

que les gouttes de pluie coulaient comme des pleurs contre les vitres.

— Est-ce que Rabier a retrouvé la fourgonnette blanche ? lui ai-je demandé.

Il a reposé sa tartine de confiture et m'a regardée dans les yeux. Il a tendu la main à travers la table, écartant les boîtes de médicaments, et a posé sa paume chaude sur mes doigts. Je découvrais les cernes autour de ses yeux, les pattes-d'oie profondes au coin de ses paupières. Je ne me souvenais pas de ces plis au-dessus de sa moustache.

— On croit savoir qu'il s'agit d'une fourgonnette Express. Quelqu'un aurait vu tourner autour un homme en parka kaki, aux cheveux longs, très bruns, sous une casquette de rocker. Les gendarmes le cherchent. Mais les fourgonnettes Express sont presque aussi nombreuses que les habitants du canton. On en trouve partout dans les vignes, et les chasseurs en ont pour transporter leurs chiens…

Ce soir-là, au moment où nous nous couchions, alors que j'étais sur le point d'avaler la pilule rose qui allait me faire basculer dans un sommeil artificiel, il est allé chercher le téléphone mobile.

— Je vais appeler Jacques et Catherine. Tu vas leur parler ?

J'ai hoché la tête, en reposant la plaquette de pilules sur la table de nuit. Je t'ai entendu, Jacques, le premier.

— Maman, tu es là ?

— Oui, je suis là.

J'ai compris ton émotion à ton souffle dans l'écouteur. Nous nous sommes dits peu de chose. Il était encore trop tôt.

— Je me débats comme je peux avec un cauchemar qui ne veut pas me lâcher…

J'ai eu l'impression que ta voix tremblait au bout du fil, mon fils. Alors j'ai fondu en larmes. Je vous ai répété, à l'un comme à l'autre, ma version de mauvais rêves de l'échelle de Jacob.

— Je suis sur l'échelle, contre le mur du logis. Je monte tranquillement les premiers barreaux. Et puis, à mesure que je progresse, l'angoisse grandit. Plus je monte, plus l'échelle s'allonge, et je m'épuise à monter sans fin…

Vous m'avez dit, comme à une enfant qu'on console :

— Ça va aller maintenant.

Je vous ai répondu en pleurant :

— Non, je ne suis pas encore complètement descendue de l'échelle.

Nous nous sommes téléphoné, le lendemain, et les soirs suivants. Je vous ai raconté un au-

tre mauvais rêve qui remonte aux nuits de fiè-
vre de l'enfance.

— Ce n'est pas une échelle que j'escalade,
mais un escalier en colimaçon. Je ne sais plus
quel est mon âge. Je peux aussi bien être adulte qu'enfant. En tout cas, ma mère m'attend sur
le palier de l'étage, je le sais, j'en suis sûre. Et
plus je monte, plus elle s'éloigne. Elle m'attend pourtant. L'escalier tourne, et je ne la vois
pas. Je l'appelle. Elle ne me répond pas. Je
monte, je monte. Est-ce qu'elle se sauve ou
qu'elle est morte ?

Tu me suggères, Catherine :

— Peut-être que tu te trompes depuis le début, maman. Ta mère pouvait être une fille
bien…

— …Qu'un affreux Allemand a violée… À
mon avis, elle a plutôt été tondue à la Libération…

— Et alors ? Même si cela était… ?

C'est moi qui décroche le téléphone, quelques jours plus tard, et qui compose vos numéros. Ma santé s'améliore. Je sais que mon équi-
libre est encore fragile. Mais je suis descendue
de l'échelle. Le nuage de béton qui m'empri-
sonnait la tête s'est dissipé. Bernard vous dit :

150

— Votre mère rit ! Elle n'a pas ri depuis un mois et demi !

Il se tourne vers moi, tend l'écouteur.

— Ris ! Montre à tes enfants que tu es capable de rire à nouveau…

Je ris.

— Votre père a eu bien du courage !

— Tu ne le savais pas ? dit-il.

Nous rions aux éclats. Tu m'interpelles, Catherine :

— J'ai repensé à l'histoire de notre grand-mère tondue, si tu es une fille d'Allemand, bien sûr. On m'envoie à Berlin, maman, dans quinze jours, pour organiser l'inauguration de la nouvelle ambassade de France à la porte de Brandebourg. J'ai envie de t'emmener avec moi… Tu verras l'Allemagne d'aujourd'hui.

— On n'a pas trouvé quelqu'un d'autre que toi, qui es à Rome, pour ça ?

— Il n'y aura pas que moi. Je m'occupe de la musique, maman, avec Patrice, et la musique, à Berlin, ça compte. Viens avec moi… Je serai toute seule… Patrice est pris par son travail. Je voudrais que tu te rendes compte, et te réconcilier avec ce que tu découvriras…

— Je n'ai pas besoin d'être réconciliée.

Je dis ça, et en même temps j'éprouve un pincement d'envie au cœur. En fait, j'ai toujours secrètement désiré voir l'Allemagne.

— Je ne suis pas suffisamment rétablie. Je ne me sens pas capable de partir toute seule. Je ne sors que pour les commissions à Châteauneuf. Je suis encore en traitement, même si le médecin vient de réduire les doses.

— Tu ne seras pas toute seule. Tu as besoin de changer d'air. Tu verras que le médecin réduira encore les doses à ton retour !

— Non, ne m'embête pas avec ça !

Tu reviens à la charge deux jours après. Bernard n'y est pas opposé, au contraire.

— Pourquoi n'en profites-tu pas ? m'encourage-t-il. Ça te changera les idées.

— Tu viendrais avec nous ?

— Bien sûr que non. Ça me fera du bien d'être tout seul pour quelques jours ! plaisante-t-il.

Et puis, sérieusement :

— Philippe et moi avons commencé de dégager les déblais les plus dangereux de l'incendie. Je veux finir de nettoyer la façade sud avant l'hiver.

— Alors, je reste avec toi.

J'ai peur de me retrouver toute seule en ta compagnie, Catherine. Je suis une provinciale, tu es une citadine. Nous ne vivons plus dans le même monde. Manger au restaurant ne me plaît pas. Je préfère ma cuisine, à la maison. Les premières chamailleries ont commencé entre nous lorsque tu es partie à Paris poursuivre tes études de musique. Sitôt échappée, tu as jeté par-dessus la haie tout ce que nous nous étions acharnés à te transmettre, et tu t'es installée avec Patrice, divorcé, sans enfants.

Tu n'as pas compris combien ce choix pouvait, pour nous, être source d'inquiétude. Tu étais de ton époque. Ton frère te soutenait.

Nous avons eu des explications houleuses. Nous t'avons reproché ton ingratitude. Nous étions fiers de tes dons et nous étions convaincus, comme nous le disait ta professeur de conservatoire, que tu avais ta place dans un grand ensemble philharmonique. J'étais tellement heureuse de ta réussite aux concours. Tu as piétiné notre espoir, sans tenir compte de tout le mal que nous nous étions donné pour toi. Tu as préféré Patrice.

Nous ne nous sommes plus parlés pendant presque une année. Les choses se sont arrangées lentement grâce à Jacques, qui nous donnait de tes nouvelles. Ta liaison avec Patrice n'était pas provisoire. Vous êtes venus nous voir avant de partir à Rome. Vous nous avez servi de guides dans la Ville éternelle, et l'harmonie de votre couple nous a rassurés.

Et puis il y a eu le conflit du logis. Tu as été la première à t'y opposer, et tu as entraîné ton frère sur cette voie. J'ai tout de suite été sûre que c'était une manière de régler des vieux comptes de ta mère avec ce pays. Une cohabitation avec toi, du matin au soir, Catherine, me semble difficile, surtout sans Bernard. Nous ne sommes jamais partis l'un sans l'autre. Nous n'avons jamais dormi séparés, sauf quand il était de service aux chemins de fer, sauf une fois, pendant trois jours, et pendant mes séjours à la maternité.

J'ai mes habitudes. Je souffre de dérangements intestinaux, et mon premier souci à mon arrivée quelque part est de savoir où sont les toilettes. Je suis malade. J'insiste auprès de Bernard :

— Pourquoi ne viendrais-tu pas avec nous ?

— Parce que j'ai du travail. Et parce qu'après ce qui s'est passé, il faut bien que quelqu'un reste.

— Alors on ne part pas.

— Si, pars, toi, pour t'éloigner un moment de nos histoires.

— Pourquoi, moi ?

— Parce que c'est toi qui es visée. Je suis convaincu qu'il ne se passera rien pendant que tu seras partie.

— Tu crois ?

— J'en suis sûr.

— Et si je suis malade, là-bas ?

— Tu ne seras pas malade. Si tu l'es, malade, tu seras rapatriée par l'assurance !

— Quand vas-tu à Berlin, Catherine ?

Tu as compris au bout du fil, à Rome, que tu avais gagné.

— La troisième semaine de novembre.

— Il fera froid !

En fait, je brûle déjà de partir. Je m'interroge sur les raisons qui me poussent. C'est vrai que j'ai envie de prendre de la distance avec Tourtras. J'ai l'impression d'y être une cible. Au loin, il me semble que je respirerai mieux. Et puis il y a l'attirance pour une probable Allemagne de mes origines, que les lettres du corbeau stimulent. Le médecin, lui-même, est satisfait de mon départ. Il est persuadé que l'éloignement accélérera ma convalescence.

11.

Bernard m'a accompagnée à Angoulême, il a monté ma valise dans le train. Je lui ai dit :

— Si tu me le demandes, je reste.

— Va-t'en ! Tu te poses trop de questions… C'est de là que vient ton mal.

Il m'a embrassée sur le quai comme un jeune homme et j'ai failli laisser partir le train.

J'ai trouvé la navette pour l'aéroport d'Orly, rue de l'Arrivée. Le grouillement de la foule me mouillait les mains et le front de sueur froide. Je me suis précipitée vers le chauffeur pour qu'il mette ma valise dans la soute, et me suis assise derrière lui. Les lourds balais des essuie-glaces raclaient la pluie grasse sur le pare-brise. Les véhicules avaient allumé leurs phares. Je ne pensais qu'à Bernard, à son travail au logis, à sa solitude dans notre maison de la venelle, et m'en voulais de vous avoir cédé pour me lancer dans cette aventure inutile.

Je t'ai découverte qui m'attendais sur le trottoir de l'aéroport, boutonnée jusqu'au col dans ton grand manteau noir, et j'ai été soulagée. J'ai dégringolé les marches du car.

— Tes bagages ! m'as-tu crié, stoppant mon élan vers toi.

Nous avons ri. Ma valise attendait sur le trottoir humide. Nous nous sommes embrassées devant les portes automatiques qui s'ouvraient et se refermaient en vain, pour nous. Je ne voulais pas te lâcher.

— Tu as fait bon voyage ? m'as-tu demandé, te détachant de moi.

Je me saoule du bleu de porcelaine des yeux de ma fille.

— Oui-non. Je n'étais pas tranquille. Tu me connais…

Tu charges ma valise sur le chariot.

— C'est tout ce que tu as emporté ?

Tes deux grosses valises l'emplissent déjà, et une mallette de bagage à main. Je hausse les épaules :

— Quand on vieillit, on s'allège.

— Pas sûr !

Tu as raison. Quand je suis arrivée chez maman Paillat, j'avais une petite valise en bois, presque vide. Je crois qu'elle est encore dans le grenier de la maisonnette.

157

Tu slalomes en habituée à travers l'aérogare, me montres les informations sur les écrans. Tes talons décidés claquent sur le dallage.

— La météo est mauvaise. C'est dommage, on ne verra rien, on sera tout de suite dans les nuages…

L'avion s'enfonce, en effet, dans les nuages, sitôt le décollage, et les turbulences ne se font pas attendre. Tu m'avais prévenue. Je me cramponne aux accoudoirs, à ta main. Je pâlis. Novembre n'est pas la bonne période pour du tourisme en Allemagne. Je n'ai ni soif, ni faim. Je ne veux surtout pas lire. On nous ordonne sans cesse de nous attacher. Les serviettes en papier de l'hôtesse me font du bien.

Et puis les nuages s'ouvrent devant mes yeux émerveillés au-dessus des landes de Lüneburg. Le soleil éclaire la terre. La lumière, plus dense à l'horizon, brille sur une étendue bleue, la mer… Des rangées d'éoliennes battent lentement des ailes comme de grands oiseaux blancs au-dessus des platitudes sablonneuses.

— Nous sommes au-dessus de l'ex-Allemagne de l'Est.

Je cherche sottement à travers ces prairies, ces longues routes droites, ces maisons blotties derrière des bois maigres, les traces du rideau de fer.

Et j'ai soudain, tête baissée au bord du hublot, la sensation agréable et vertigineuse qu'une aile d'éolienne se met à tourner à l'intérieur de moi et y ouvre des espaces inexplorés.

La voix allemande dans le haut-parleur de l'aérogare de Tegel est brutale. La pluie qui nous avait quittés fouette le trottoir et les taxis jaunes. L'eau gicle sous les roues des voitures qui démarrent. Nous ne découvrons presque rien de la ville à travers les vitres. Tu me signales des monuments que je n'ai pas le temps de voir. Tu connais Berlin pour y être déjà venue deux fois. Tu parles en même temps au chauffeur, avec une facilité qui me déconcerte. Tes origines y sont peut-être pour quelque chose, qui sait !

J'observe ton profil dans la pénombre, et le compare à celui des femmes enveloppées dans des manteaux ou des imperméables, sur les trottoirs.

— Je n'ai pas regardé à la dépense. J'ai retenu l'Adlon, le plus bel hôtel de Berlin, en face de l'ambassade de France et de la porte de Brandebourg !

— Ne dépense pas inutilement pour moi,

Cathy. Je serai mieux dans un hôtel ordinaire.

— Tu n'es jamais contente !

Le portier en livrée se précipite avec un parapluie et nous accompagne jusqu'à la porte à tambour de l'entrée. Les gros gâteaux à la crème derrière les vitrines de la cafétéria me font envie. Les Fräulein blondes aux joues roses et rondes en chemisiers blancs et nœuds papillons sont appétissantes comme leurs pâtisseries. Je te souffle, éblouie par l'éclat des marbres et des cuivres, en foulant les tapis épais :

— Combien coûte une chambre, ici ?

— Ne t'occupe pas, maman.

Tu me murmures le prix en euros parce que j'insiste. Je m'embrouille dans les conversions, trouve une somme mirobolante. Nous comptons ensemble. Ce n'est pas possible. C'est trop. Si maman Paillat ou le père Compain savaient que je dépense une somme pareille rien que pour dormir !

— Tu ne crois pas qu'on aurait pu trouver quelque chose de convenable et de moins cher, où on aurait été aussi bien ?

— Non maman !

La fillette timide de la venelle de Tourtras s'est habituée au luxe. Tu me parais plus grande dans ces vastes salles aux plafonds hauts. Tu as pris quelque chose de l'élégance italienne à Rome. Tu as maigri. Tu renvoies vers l'arrière tes cheveux colorés châtain. Tu t'adresses au personnel de l'hôtel aussi bien en anglais qu'en allemand. Je ne peux pas ne pas être fière de ma fille. Ton sourire à fossettes et tes yeux bleus commandent. Je regrette l'absence de Bernard. Je voudrais qu'il soit là et voie sa fille à l'œuvre à l'hôtel Adlon.

Le porteur roule nos bagages dans le couloir. Tu te retournes vers moi qui te suis. J'en rajoute peut-être dans l'air emprunté et tu me souris.

Tu m'as proposé :

— Nous ne prenons qu'une chambre ?

— Si je ne t'embête pas !

Tu as haussé les épaules. Ce n'est pas qu'une chambre. Nous avons un salon dans l'entrée, avec des fauteuils et un bureau, et les immenses lits jumeaux sont assez vastes chacun pour coucher un couple. Tu vas, viens à travers la chambre, ouvres tes valises et suspends tes robes dans l'armoire. Tu me recommandes de ne pas m'asseoir sur la couette, pour l'hygiène, te déchausses en lançant tes chaussures à travers la chambre. Tu n'as pas perdu cette habitude que je n'ai pas réussi à corriger. Tu te « désapes », comme tu dis, tu ôtes ton jean, et te promènes en petite culotte, sans gêne devant moi.

161

— Qu'est-ce qu'on fait, maman ? demandes-tu, assise sur la cuvette des toilettes dont tu n'as pas fermé la porte. Il ne pleut presque plus. On se repose et on sort pour une petite balade dans le quartier ?

J'écarte le lourd rideau de damas à fond cramoisi. Il pleut plus fort que tu dis sur l'avenue *Unter den Linden*.

Je m'allonge, et me réveille en sursaut. Tu es prête, tu as mis un autre pantalon, des bottines.

— Il fallait me réveiller ! Je dors, alors que je prétends ne jamais dormir !

— On est en vacances ! On a tout le temps !

Nous sortons sur la place qu'ils appellent de Paris dans une lumière gris souris. La pluie s'est arrêtée. Par la porte de Brandebourg, tu m'entraînes jusqu'à la ligne d'emplacement du mur tracée dans le bitume. J'ai du mal à réaliser encore que je suis à Berlin, que je marche à Berlin, que je touche Berlin. Est-ce qu'on peut oublier ici ? Est-ce qu'on peut se promener l'esprit tranquille ? Tant d'événements tragiques de la grande histoire récente imprègnent la réalité. Est-ce que Renée Duval, fille de Boche, va se sentir à l'aise à Berlin ?

La poussière de ma petite existence vole dans le grand vent de l'Histoire. La grisaille de cette fin de jour de pluie flotte bizarrement devant mes yeux. Tu t'aperçois que ma tête se brouille. Tu prends par le bras ta mère à la cervelle fragile, te serres contre mon manteau.

— Brr ! dis-tu.

Quelques gouttes glacées tombent sur mon bonnet de laine.

— Veux-tu que nous montions là-dedans ?

Tu me montres les vélos-taxis où des jeunes promènent sous des coques de plastique des touristes gras et vieux.

— Merci pour moi, je suis encore jeune pour marcher !

Le lendemain tu as tes rendez-vous à l'ambassade et tu m'abandonnes en me conseillant de ne pas trop m'éloigner, après avoir étudié avec moi le plan de la ville. Un vent glacé pique la figure. Les nuages au-dessus de l'avenue courent plus vite que moi. Je serre sur ma gorge le col de mon manteau.

Ma tranquillité me surprend. Berlin donne l'impression d'une ville de province. Il y a des arbres partout qui se rejoignent à certains endroits, et forment tonnelle. J'aimerais remplacer mon bonnet de laine par une toque de fourrure, comme celle de certaines Allemandes.

Les nouveaux immeubles de verre tranchent avec l'austérité de l'ancien Berlin-Est. L'ambassade de Russie en impose avec ses énormes blocs de marbre blanc. Bernard me manque toujours. J'ai l'impression d'une place vide dans la rue à côté de moi.

Une carterie propose des images de Berlin *so wie war :* comme la ville était avant la guerre, comme elle fut du temps de la RDA, et comme elle est maintenant. Les lumières d'un café, la vitrine garnie d'ours en chocolat, m'attirent. Je m'installe à une table pour écrire mes cartes postales. Les gens se parlent d'une table à l'autre. La vitre reflète ma silhouette.

— Ressembles-tu à une Berlinoise ?

J'en ai la carrure et l'habillement pas très élégant, mais confortable, la pâleur de teint, et les yeux clairs.

— Ils me regardent en parlant et me prennent à témoin. Ils croient probablement que je les comprends !

Quand je me réveille, avant l'aube, je cherche instinctivement le corps de mon mari pour me rapprocher de lui. Je tâtonne en vain, et la fermeté du matelas me rappelle que je ne suis pas chez moi. La couette me gêne, j'ai l'habitude des draps et couvertures bordés.

Tu dors d'un sommeil de jeune, Catherine, sans bruit. Aucune lueur ne filtre à travers les rideaux, aucun bruit à travers les doubles fenêtres aux doubles vitrages. Je regarde l'heure à mon réveil sur la table de nuit, quatre heures. Je promène ma jambe sur le drap lisse du grand lit. L'angoisse m'étreint. Bernard dort aussi, j'espère, dans notre lit là-bas. Pourtant j'ai la sensation presque physique de sa présence. Il me semble entendre encore le son de sa voix qui me disait dans mon sommeil :

— Renée, je mourrai s'il le faut pour défendre ma famille !

J'ai eu à peine le temps de lui répondre :

— Pourquoi veux-tu mourir ?

Une voix brutale a dominé la sienne, et j'ai compris que c'était celle du corbeau : *Celui qui combat par l'épée périra par l'épée...*

Saisie à la gorge, je me suis réveillée. Bernard serait-il en danger ? J'ai eu tort de partir et de le laisser tout seul. S'il lui arrive quelque chose, je ne supporterai pas d'avoir déserté, d'une certaine façon comme mon père et ma mère. Le pouls d'angoisse bat dans mon estomac. Nous lui avons téléphoné, hier soir. Il se préparait à dîner tout seul. Sa voix passait mal. Elle m'a paru lointaine, et elle l'était.

Je regarde l'heure, à nouveau. Quelques minutes à peine ont passé. Il faudrait que je l'appelle maintenant pour me rassurer. Mais je ne vais pas te réveiller, Catherine ; et lui, s'il dort, il pensera que je ne vais vraiment pas bien.

Un coup de klaxon assourdi me soulève la tête sur l'oreiller. Quelques bruits filtrent, tout de même, un bourdonnement qui ressemble au passage lointain d'un train. Quand nous l'entendions dans la petite maison de garde-barrière, nous nous élancions, Marcel et moi, à qui fermerait le premier les barrières. Il était plus rapide que moi, parce qu'il avait de plus longues jambes, mais j'avais meilleure oreille que lui. Nous surveillions la pendule. Le train arrivait à la seconde, et immanquablement je démarrais avant Marcel. Il me criait :

— Tu n'as rien entendu ! Tu triches !

Mais la seconde d'après, il entendait à son tour le grondement du train. L'alarme se déclenchait.

Le grelottement de la sonnerie d'autrefois me rejoint sur mon oreiller de l'hôtel Adlon. Et insensiblement, parce que je ne peux pas me rendormir, et que Bernard m'inquiète, je me rappelle mes quatorze ans, car c'est là que tout a commencé entre nous…

J'avais déjà atteint ma taille adulte. Je n'étais pas très grande, mais je ne le deviendrais jamais. J'étais formée. Les regards des garçons et même des hommes le laissaient deviner. J'avais commencé à travailler comme bonne chez les Brégeon, et j'économisais pour m'habiller à mon goût. Les vêtements de l'Assistance et de maman Paillat, toujours étriqués, tendus sur ma poitrine déjà forte, ou trop grands, me rendaient encore plus timide. Je m'en plaignais à maman :

— Je déteste mes robes !

— Quelles robes ?

— Toutes !

Je n'en avais déjà pas tant.

— Si tu veux, on va faire teindre celle-là, qui est encore bonne…

— Bientôt on me verra au travers !

Cela ne m'empêchait pas de jouer à la course à la barrière, avec mon frère, comme une enfant que j'étais aussi.

Je me souviens très bien du jour de début octobre où cela m'est arrivé. Les vendanges venaient de commencer. Je travaillais donc chez les Brégeon depuis le début des grandes vacances, et je m'attendais à être envoyée dans les vignes. Mais Mme Brégeon, qui est devenue depuis mon amie, m'a voulue avec elle pour la cuisine des vendangeurs. J'ai pris cela comme une faveur. Mme Brégeon avait un peu plus de trente ans. Elle voulait m'apprendre et elle avait pour moi des attentions maternelles.

C'était un dimanche. Les vendangeurs mangeaient, même le dimanche, et j'étais allée travailler. Mais sur les cinq heures Marthe Brégeon m'a dit :

— C'est bon, Renée, tu peux t'en aller. On se débrouillera sans toi maintenant.

Je me suis précipitée vers la barrière, dans les relents de moût qui embaumaient tout le pays, pour le passage de la Micheline de 17 heures 35. D'habitude, entre le passage à niveau des Bergeries et le nôtre, l'autorail sifflait une fois. Mais ce soir-là, il a lancé deux coups brefs en arrivant à ma hauteur. C'était un sifflement joyeux, comme un bonjour dans le soleil. D'ailleurs j'ai vu une main s'agiter derrière les larges vitres du conducteur.

Je ne lui ai pas répondu. Qui pouvait s'intéresser à moi, sinon pour se moquer ? J'avais encore, par-dessus ma robe, ma blouse bleue de cuisinière.

Le lendemain et les jours suivants je n'ai pas fermé les barrières, parce que j'étais dans la cuisine des Brégeon. Mais le dimanche suivant, je me suis plantée au bord de la voie avant cinq heures et demie. Je n'avais que quatorze ans, bien sûr. La vie m'avait mûrie plus vite que les adolescentes de mon âge. Je promenais ma figure triste. Marthe Brégeon me réprimandait :

— Ris un peu ! Est-ce que tu ne sais pas rire ? À ton âge, une fille devrait toujours rire !

Petit Maurice était mort. Je n'avais plus personne pour me faire rêver. Mon frère Marcel, avec lequel je ne m'entendais pas très bien, s'intéressait à ses copains et à d'autres filles. Dans le bourg, je le gênais, je le savais.

L'autorail a sifflé en passant devant moi. Je l'ai salué comme tous les enfants saluent les trains. J'agitais autant la main pour les voyageurs dont les silhouettes défilaient derrière les vitres.

Et puis j'ai attendu encore le dimanche suivant. Il pleuvait. Le mauvais temps m'avait jeté un capuchon vert de vendangeur sur les épaules. J'étais éreintée par la cuisine, les cris et les rires de la gerbaude, le repas de la fin des vendanges. Lorsque le train a lancé ses deux coups de sifflet, j'ai senti un grand trou se creuser au milieu de moi comme à la balançoire, quand on atteint le point le plus haut, comme si on allait toucher le ciel avant de repartir vers le bas. Je me suis demandé ce qui m'arrivait. J'ai à peine répondu aux signes du chauffeur derrière les essuie-glaces de la Micheline. J'aurais aimé comme à la balançoire que se renouvelle la sensation délicieuse.

Qu'est-ce que je savais de l'amour, moi qui n'avais connu que quelques caresses de la main râpeuse de maman Paillat ? J'aimais m'asseoir sur les genoux de papa, mais très vite, sans que je comprenne pourquoi, il m'avait repoussée :

— Plus maintenant, Renée, tu es grande.

Des relations des hommes et des femmes, je ne connaissais pas les détails. J'en avais appris des bribes sur le chemin de l'école.

— Tu sais comment ils ont fait ton père et ta mère, Coucou ? (Je me rappelle le mime obscène.) Après qu'ils t'ont faite, ils t'ont laissée tomber.

Un jeudi, après le catéchisme, alors que je venais à la traîne derrière les autres, le petit Bouchaud était sorti d'un rang de vigne.

— Renée, regarde !

Trois grands de la division du certificat s'étaient retournés, la culotte sur les genoux, en sifflant :

— La vipère rouge !

Les autres filles ricanaient, loin devant, prévenues de l'embuscade, et apparemment bien au courant de toutes ces choses. L'amour, pour moi, mélangeait ces histoires sales, et je le craignais. Je n'étais donc pas effleurée par le moindre soupçon d'amour dans le passage de l'autorail.

Je suis restée à piétiner sous la pluie, et ne suis rentrée qu'un moment après. J'ai suspendu mon caoutchouc derrière la porte, et maman, qui ne croyait pas si bien dire, m'a demandé :

— Qu'est-ce qui t'arrive ? Tu as vu Ramponneau ?

Ramponneau, c'est le croque-mitaine dont on menace les enfants désobéissants en Charente.

L'autorail ne m'a pas sifflée, le dimanche suivant. Le chauffeur s'était peut-être lassé du jeu, ou ce n'était plus le même. Pourtant il m'a semblé plusieurs fois, alors que je dormais, entendre à travers le sommeil les deux sifflements joyeux au passage du dernier train de dix heures. Je ne rêvais pas, puisqu'un matin maman a bougonné en prenant son café :

— Je me demande ce qui prend aux chauffeurs à siffler comme ça. Les consignes doivent avoir changé. Mais ils nous cassent les oreilles.

J'ai rencontré Bernard six mois plus tard, en mars, sur la place de la mairie de Châteauneuf. J'allais fixer les sacs de commissions de Mme Brégeon sur le porte-bagages de ma bicyclette. Je n'ai pas cru d'abord que c'était moi qu'interpellait l'homme qui s'avançait.

— Ces sacs ont l'air bien lourds. Veux-tu que je t'aide ?

Je n'ai pas aimé qu'il me tutoie. Je n'avais pas peur. Châteauneuf était plein de monde, ce matin de marché, aux approches de midi.

— C'est à toi que je parle, petite garde-barrière !

Je me suis arrêtée. Ses moustaches riaient, et les plis aux coins de ses yeux. J'ai compris que c'était lui avant qu'il me dise :

— Tut ! Tut ! C'est moi…

Tandis que le rouge me gagnait la gorge, les joues, le front, j'ai senti le trou se creuser de nouveau dans mon ventre. J'ai posé mes sacs. Mes jambes tremblaient. Puis-je confesser que j'étais déçue ? Mon imagination d'adolescente m'avait fabriqué un prince charmant de mon âge. Et j'avais devant les yeux un homme, un vieux de presque vingt-cinq ans, pas laid, maigre, velu, à l'épaisse chevelure et à la moustache noiraudes, sur un visage pointu. Il n'avait rien d'extraordinaire. Sa démarche, ses épaules ressemblaient à celles de beaucoup de paysans qui allaient et venaient dans les rues de Châteauneuf. Il a fixé les sacs avec les tendeurs de mon porte-bagages, en me demandant :

— Comme ça ? Ça va ?

Je n'ai su que hocher la tête, en balbutiant :

— Merci.

Il a ajouté en plaisantant comme je me préparais à partir :

— Salut, et rendez-vous à la barrière de Martignac !

Je lui ai répondu :

— Au revoir.

Il m'a crié quand je m'éloignais debout sur mes pédales :

— Je m'appelle Bernard... Villebois.

Je t'ai réveillée à tant m'agiter dans mon lit. Tu allumes ta lampe de chevet.

— Tu as bien dormi ?

— Plus ou moins, comme d'habitude.

Nous nous regardons. J'aime être enveloppée de ta tendresse, ma fille. Tu t'étires. Tu bâilles. La nuit ne t'a pas abîmé les traits.

— Moi, j'ai bien dormi.

Tu regardes l'heure.

— Aujourd'hui nous passons la journée ensemble.

Tu te lèves.

— Viens me faire une bise.

Tu déposes, vite, sur ma joue un baiser léger comme une aile de papillon, et tu t'empresses vers la lourde tenture que tu écartes.

— Je peux ouvrir les rideaux ?

Le petit jour gris perle se mêle à l'éclat des lampes de la ville. De mon lit je vois la tour de la télévision et sa boule panoramique.

Tu passes sur tes épaules un petit sac à dos de cuir noir où nous chargeons toutes nos affaires, appareil photo, guide, biscuits. Je t'ai dit mon envie d'un bonnet de fourrure. Tu me conduis au grand magasin Ka De Ve qui fut la vitrine de l'opulence de l'Ouest au temps de la guerre froide, où je me métamorphose en Berlinoise. Les rayons dorés du soleil percent la couverture de nuages.

— Il fait beau. J'ai chaud avec mon bonnet !

La ruine tragique de l'église du souvenir rappelle le cataclysme des bombes sur le KU'damm. Nous nous asseyons au bord de la fontaine devant l'église. J'enlève mon bonnet, désigne, désolée, le clocher détruit, et les mots vont plus vite que ma pensée.

— Un souvenir de guerre, comme moi...

— Comment peux-tu dire ça !

— Parce que... c'est vrai.

Tu hausses les épaules.

— Tous ces gens autour de nous sont, autant que toi, des souvenirs de guerre. Et je le suis, par conséquent, moi aussi !

Je ne me sens pas bien. Je me lève, marche.

Je cherche dans ma poche une pilule rose du médecin. Je n'en ai pas pris depuis mon arrivée. Je me croyais guérie. Ma réflexion t'a mise de mauvaise humeur. Tu marmonnes :

— Si tu veux des souvenirs de la guerre, tu vas en avoir !

Tu m'entraînes sans plus d'explication vers les terrains toujours à l'abandon du siège de la Gestapo. Les visiteurs circulent entre les cabanes en planches de l'exposition « Topographie de la terreur » dans un silence de tombeau. Je prie le bon Dieu de m'épargner la présence du sang des bourreaux dans mes veines.

— Emmène-moi ailleurs.

— Ça te suffit ?

Je ne crois pas qu'il y ait de chantier aussi colossal que celui de la Potsdamer Platz dans d'autres villes du monde. Tu me dis que Daniel Barenboïm est venu diriger ici l'interprétation de l'*Ode à la joie*. On dirait, en effet, que les grues dansent. Et, curieusement, on respire. Les tours et les colonnades n'écrasent pas. Le soleil se couche dans les grandes verrières. Nous nous installons pour dîner sous le dôme du forum du Centre Sony.

Une odeur de saucisses et de curry flotte parmi les tables. La bière blanche te met de la mousse sur les lèvres. Nous mangeons du jarret de porc. Boire me rend bavarde. Je veux te convaincre que nous avons raison de restaurer le logis, et je me répète.

— Vous n'avez pas compris pourquoi nous nous donnons cette peine, ce n'est pas qu'égoïstement pour nous…

— C'est pour nous, je sais. Mais nous n'avons pas besoin de ça, maman !

— C'est ce que vous dites !

La bière et les pilules roses ne font pas très bon ménage. Les joues me brûlent. J'imagine que mes yeux brillent comme les tiens. Mais il est agréable de planer un peu. Tu touches ma main à travers la table.

— D'une certaine façon tu crois toujours que nous avons honte de nos origines. Si j'avais honte, est-ce que je t'aurais emmenée avec moi à Berlin ?

— J'ai toujours eu honte.

Tu appelles ton père dans le brouhaha des assiettes et des conversations. Il va bien. Tu me passes le téléphone. Il faut presque crier. Je dois être saoule. Je ris. Je compare notre chantier minuscule à celui de la Potsdamer Platz. Je l'encourage à boire de la bière.

— La bière met de bonne humeur !

Tu acquiesces, Catherine, et, me prenant le portable :

— Il y a des enzymes positifs dans la bière ! Notre enthousiasme le rend jaloux.

— Tu as raison, soigne-toi à la bière !

Je ris jaune.

Il a raison, je suis malade. Je lui en veux d'avoir si souvent raison. Moi, je suis toujours vacillante, en déséquilibre, rougissante, pâlissante, transpirante. La communication est coupée après un bonsoir un peu sec. La bière a un goût amer.

Réveil habituel à quatre heures, complètement dégrisée ; mécontentement des âneries prononcées au téléphone. Les photos des bourreaux, et les ruines de la grande gare Anhalt ravagée par les bombes me tournent dans la tête. Bernard, où es-tu ?

Où en étais-je, hier matin ? Je pédalais dans la côte de Châteauneuf avec les commissions de Marthe Brégeon sur mon porte-bagages. Je n'étais pas très contente de moi, là non plus, me reprochant mes rêves de beau chevalier conducteur de train.

Je ne suis pas allée fermer les barrières pendant les semaines qui ont suivi. Mais lui a continué à siffler en passant devant notre maisonnette. Ses coups joyeux lancés dans la vallée rejoignaient parfois une Cosette chargée de seaux ou de balais dans la cour de ses patrons.

J'ai posé des questions autour de moi au sujet des Villebois. Ils étaient de la commune voisine de Saint-Gimeux, et habitaient le village de Tourtras là-haut en promontoire sur la Charente. Famille de propriétaires, le père était adjoint au maire. Le fils cadet travaillait avec lui. L'aîné, Bernard, mon Bernard, avait préféré les trains, et conduisait sur la ligne Angoulême-Royan.

Ce goût des trains et la tête fière du cèdre de Tourtras dressée sur la vallée ont réveillé en moi la petite flamme qui s'était éteinte, et la curiosité. Il n'était pas si vieux. Il avait dix ans de plus que moi.

Je l'ai vu arriver à bicyclette sur le sentier sablonneux du bord de la voie, un après-midi du mois de juillet, alors que je cueillais des haricots verts dans le jardin de papa. Sa pédale frottait sur le garde-chaîne. Il a appuyé le pied sur la traverse et m'a demandé, avec des plis de rire autour des yeux :

— S'il vous plaît, mademoiselle, la gare de Saint-Amant c'est bien par là ?

Je lui ai répondu, mais le cœur m'avait sauté dans la gorge :

— Oui.

Il n'a pas bougé, puis m'a demandé en faisant avancer et reculer sa bicyclette.

— Vous allez cueillir des haricots verts longtemps ?

— Asscz.

— Tu ne viendrais pas avec moi jusqu'à
Saint-Amant ?

— Je ne sais pas.

J'ai continué à cueillir un moment. Et, tout
d'un coup, j'ai abandonné mon panier. Je me
suis mise à marcher près de lui sur le remblai
en sautant d'une traverse sur l'autre jusqu'à la
gare de Saint-Amant.

Le chef de gare, qu'il était venu rencontrer,
a ouvert la porte vitrée où se reflétaient les nuages, et m'a aperçue de l'autre côté des voies.

— Tu es venu avec une petite copine !

J'étais, en effet, si petite, si jeune. Je connaissais ce gros bonhomme de chef de gare minuscule, gonflé par l'importance de sa fonction.
J'aurais préféré qu'il ne me voie pas.

Peut-être allait-il dire à Bernard que j'étais
une fille de l'Assistance ? Nous sommes rentrés
par le même chemin. J'étais gênée. Je le trouvais tellement supérieur. Je ne comprenais pas
qu'il s'intéresse à moi. Je le regardais à la dé-
robée en marchant sur les traverses. La moustache qui bleuissait ses joues lui donnait un air
de « quelqu'un ».

Il est revenu le dimanche suivant. Il n'y avait pas de haricots verts à ramasser, mais j'étais dans le jardin. J'ai cueilli pour lui une poignée d'abricots. Il m'a dit :

— On échange ?

Il a tiré de son porte-bagages un paquet enveloppé dans un papier clair.

— J'espère que je ne me suis pas trompé de taille !

J'ai ouvert. Il renfermait une robe, toute simple, blanche, sans manches, avec une collerette. Il a fini de me conquérir avec cette robe. Il avait deviné que j'étais honteuse de celle que je portais. Sans doute avait-il remarqué aussi le mauvais état de mes vêtements de petite pauvre. Il m'a demandé :

— Mets-la devant toi, que je voie si elle te va.

Je n'étais pas grosse alors. Je devais peser quarante-cinq kilos tout habillée. J'ai hésité à plaquer la robe sur ma gorge et ma poitrine, mais je l'ai fait, devant Bernard.

— Il se pourrait que ça t'aille juste.

Il a su prendre ma mesure au premier coup d'œil. Je me disais : « Tu n'as pas le droit d'accepter. Qu'est-ce que maman va dire ? »

Comme prévu, elle s'est fâchée en me voyant avec mon paquet.

— Qu'est-ce que c'est que ça ?

Elle a soulevé le papier.

— Qu'est-ce qui t'a donné ça ? Tu vas rendre cette robe. Une fille honnête n'accepte pas une robe d'un homme qu'elle ne connaît pas.

— Non, je ne lui rendrai pas !

— Tu lui rendras. Si tu ne le fais pas, c'est moi qui le ferai.

— Qu'est-ce qui te dit qu'il est malhonnête ?

— Tu sais ce qu'il veut ? Moi, je le sais. Il a vu que tu n'étais pas laide. Il sait que tu es sans défense. Il a l'habitude d'en croiser des filles, et des plus délurées que toi, avec son train. Qu'est-ce que tu deviendras si tu te retrouves enceinte…

— …comme ta mère !…

— Je ne t'ai pas dit ça…

J'ai refermé le paquet, je l'ai emporté dans la chambre, et je n'ai pas cédé. La robe était à ma taille, à peine un peu trop longue. Papa ne s'occupait pas de ces histoires de femmes. Il travaillait à la carrière, et faisait son jardin. Du moins, je croyais ça. J'ai appris par la suite qu'il s'était renseigné au sujet de Bernard, et avait conclu « qu'il était un bon gars ».

Je n'ai pas assez parlé avec lui quand il était là. Je l'ai interrogé plusieurs fois sur sa Résistance quand il préparait son fusil pour la chasse. Il m'a répondu : « C'était la guerre. La guerre, c'est la pire des choses. Dans ces moments-là, ma petite Renée, il t'arrive souvent de ne pas être fier. Il ne faut pas croire ce qu'on raconte, après. » Il était bon chasseur. Il revenait toujours avec quelque chose dans son carnier. Quand il rapportait un lièvre, on s'excitait à l'avance pour la cuisine de civet. C'est ainsi que j'ai très vite appris à dépouiller un gibier, plumer un oiseau, et les mettre à cuire.

J'ai porté la robe de Bernard à la messe, le dimanche suivant, un peu gênée de la trouver si blanche. Je l'avais sur moi, l'après-midi, lorsqu'il est venu. Et les langues ont commencé à jaser dans le pays.

12.

Je brasse cette vieille cuisine dans ma tête échauffée tandis que l'aube tarde encore et que tu dors auprès de moi, Catherine. Ton souffle est encore si léger que je tends sans cesse l'oreille. Je redeviens la jeune mère qui se levait pour vérifier que son bébé vivait encore parce qu'elle ne l'entendait pas respirer.

L'éloignement favorise la nostalgie. Le besoin de Tourtras m'émeut, notre Tourtras blessé par l'incendie, notre encore merveilleux château de l'ingénieur. Je crois retrouver le parfum du magnolia de la cour dans les odeurs de bois verni de notre chambre d'hôtel.

L'incendie n'a pas épargné l'arbre. Toutes les branches tournées vers l'avant-cour ont roussi, et leurs feuilles sont tombées peu après. Le magnolia est maintenant à demi nu comme un arbre bâtard, dont la moitié serait à feuilles caduques. Bernard croit qu'il reverdira au prin-

183

temps. On n'a sans doute pas encore pris toute la mesure des dégâts du feu. Les ailes du corbeau ont déployé leur ombre noire sur les dépendances du logis, une ombre noire de suie et de fumée. *Celui qui combat...* De quelle épée s'agit-il ? Rabier et les autres n'ont pas su déchiffrer son message. À cause de lui, qui a ressuscité violemment le passé, je suis maintenant à Berlin.

Tu as des réveils brusques, Catherine. Tu te dresses d'un seul coup dans ton lit comme si tu te reprochais de t'être abandonnée au sommeil. Tu allumes.

— Quelle heure est-il ?

Je souris. Il y a trois heures que je me débats avec mes fantômes. J'envie ton sommeil, semblable à celui de ton père.

— Tu peux encore dormir, si tu veux.

Tu bats des jambes pour repousser la couette, et tu viens me rejoindre dans mon lit.

— Comme à la maison, tu te rappelles ? On se battait, Jacques et moi, pour aller avec toi après le lever de papa.

— Alors qu'il y avait de la place pour les deux, chacun de son côté.

— Oui, mais on ne voulait pas te partager.

Je retrouve ton odeur. Je la respire dans tes

cheveux, mêlée à celle de tes produits de toilette. Je ferme les yeux, me laisse aller à la somnolence lorsque tu me demandes :

— À quoi penses-tu quand tu ne dors pas ?

— À rien.

— À des idées noires ?

— À des bêtises qui m'empêchent de dormir.

— Tu penses trop, maman. Si le destin l'avait voulu, tu serais devenue psychologue ou philosophe. Ce que tu me dis flatte ma vanité.

— Ce qui compte pour moi, ma chérie, si vous me reconnaissez un peu de cervelle, c'est de vous l'avoir communiquée, en mieux.

— On ne peut pas vivre qu'à travers ses enfants, maman !

— Quand vous êtes nés, je n'avais personne d'autre que votre père. J'étais folle d'inquiétude. Je ne savais pas si j'allais être capable de vous élever.

— Et tu y es arrivée quand même !

— Tu n'es pas grasse, dis-je en palpant tes côtes.

— Je suis en bonne santé, maman.

— Si vous veniez plus souvent, je te préparerais de bonnes soupes de fèves, des petits salés aux lentilles, de la morue aux pommes de terre…

— Et je deviendrais grosse.

Tu m'accompagnes à l'entrée du musée de Pergame où tu passeras me prendre en début d'après-midi. J'applique les écouteurs sur mes oreilles, et j'ai du mal à suivre les commentaires du guide qui me déplacent entre les scènes de combat des dieux et des géants. Je mesure mon ignorance, moi qui ai glané le peu que j'ai appris ici ou là, au hasard. Je fais comme tout le monde, gravis les marches de marbre blanc jusqu'à l'autel de Zeus et d'Athéna, et me sens très lasse.

Je suis soudain à plat. Les insomnies, les changements d'habitudes, y sont sans doute pour quelque chose. Je ne vais pas me trouver mal ? Je cherche un endroit où m'asseoir. J'ai chaud. Il y a autour de moi beaucoup d'Asiatiques. J'aimerais entendre quelqu'un parler français. Je cherche.

Les symptômes que je redoutais ne se font pas attendre : d'abord les picotements dans les doigts, puis les fourmis dans les jambes. La salle bascule un peu et scintille anormalement. Chez nous, quand cela me prend, je m'allonge et croque un morceau de sucre. Je n'ai pas de sucre ! J'ai laissé mon sac au vestiaire ! Je cherche dans les poches de mon ensemble. Mes mains tremblent. J'y trouve ma boîte de pilules qui ne me sont d'aucun secours. Je panique, m'imagine évanouie sur les dalles de marbre et emportée vers un hôpital allemand. Un violent mal de tête se met à cogner dans mon crâne. Il y a une banquette de skaï dans la salle à côté.

Je respire un peu mieux. Il ne faut pas que Catherine me laisse toute seule ! Mes mains sont moites, mon front glacé. Je fouille encore dans mes poches et y trouve un bonbon. Je suis sauvée ! Mes doigts tremblent pour le retirer de son papier. Les muscles tétanisés se relâchent peu à peu, les picotements disparaissent. Et malgré moi, alors, les larmes emplissent mes yeux.

Je ne sais pas pourquoi je pleure. Je pleure sur moi, sur mon état, sur ce qui nous arrive. Je me cache derrière mon mouchoir. Il faut que je me sauve de cet endroit. Je tourne le dos à la salle. Le Chinois qui est assis à côté de moi se penche, me regarde, sourit. Il prononce quelques mots, que je ne comprends pas. Il paraît jeune, mais avec les Chinois on ne sait jamais. Je me mouche, l'interromps d'un geste parce qu'il me parle encore, pour lui faire comprendre qu'il perd son temps.

Il hoche la tête et sourit toujours. Il s'imagine peut-être que mes larmes sont d'émotion.

Nous sommes devant la porte bleue de Nabuchodonosor. Il montre la frise de taureaux blancs sur le mur de briques. Je m'oblige à un timide sourire, essuie mes yeux. Un large sourire découvre ses dents mal plantées. Il se lève, incline cérémonieusement le buste pour me saluer.

Je le regarde s'éloigner, essuie mes joues brûlantes. Je m'en veux d'être devenue une Madeleine depuis l'incendie. Mon Chinois au costume anthracite marche, plus loin, dans la voie des processions ornée de lions. J'essaie de régler mon écouteur sur Nabuchodonosor, pour me distraire. De lui, au moins, j'ai entendu parler dans mon histoire sainte et les leçons de catéchisme de mon curé Guignabert.

Quand tu me retrouves à la sortie, Catherine, tu t'aperçois tout de suite que je ne vais pas bien. Mon sac me pèse comme un fardeau. Tu m'aides à boutonner le col de mon manteau.

— Tu es fatiguée ? Ça ne va pas ?

— C'est seulement que je n'ai pas dormi.

— On va aller manger. Ça te donnera des forces.

À la fin du repas, tu me proposes :

— On va rentrer à l'hôtel. Tu feras la sieste. On ne sortira qu'après.

Je me défends, mal, je m'en veux d'être une

charge pour toi. De lourds nuages noirs défilent à toute allure au-dessus de Berlin. Le vent les pousse, et nous pousse. Sans ce vent, des trombes d'eau noieraient la ville.

Quand tu reviens dans notre chambre où tu m'as laissée seule pour ne pas troubler mon sommeil, je te murmure :

— J'ai trouvé un Duval dans l'annuaire.

— Un Duval ?

— Au lieu de compter les moutons avant de m'endormir, j'ai feuilleté l'annuaire de ma table de nuit, et j'ai trouvé un Duval. C'est peut-être le nom allemand de mon père, et pas celui de ma mère comme on l'a toujours cru ?

Tu t'allonges auprès de moi sur le lit. Nous tournons les pages ensemble.

— C'est à Potsdam, pas à Berlin !

Je rougis, je le sens. Je m'attends à ce que tu te moques de moi. Mais tes yeux brillent, intéressés.

— Tu veux que nous y allions ?

— Où ça ? C'est loin ?

Un sourire amusé glisse sur tes joues. Tu vas chercher le plan, reviens t'étendre à côté de moi. Tu glisses ton bras sous le mien. J'aime que tu me tiennes comme ça. Tu me montres Potsdam sur la carte.

— C'est dans l'ex-Allemagne de l'Est, on doit pouvoir y aller en train.

Tu notes le nom et l'adresse du Duval R. de l'annuaire.

— Richard ? Reinhard ? Rudolf ? Robin ? Reinhard, c'est René, comme toi ! dis-tu.

Cette découverte excite ta curiosité.

— Tu ne parles pas sérieusement ? Tu ne vas pas m'emmener là-bas, te dis-je, regrettant maintenant de t'avoir donné cette idée.

— Pourquoi pas ? Est-il possible qu'on t'ait déclarée à ta naissance du nom de ton père allemand ? Je secoue la tête pour te dissuader.

— Je ne crois pas.

— Encore que… à cette époque-là, tout était possible. C'est peut-être ce qu'a trouvé le corbeau…

Ton enthousiasme me surprend. Tu ris. L'espoir fou d'un miracle enflamme tes yeux bleus. Tu prends ça comme un jeu.

— Tu imagines le gros titre de la *Charente Libre,* dis-tu : « Elle retrouve son père, cinquante-cinq ans après, en feuilletant un annuaire à Berlin ! »

Je ne veux pas y croire. Il n'y a pas une chance pour que ce Duval soit le mien.

Le train pour Potsdam part de la gare du Jardin zoologique, et on se croirait dans le bus de Châteauneuf à Angoulême. Un couple monte avec ses vélos, et compare les qualités des deux modèles. Tu traduis pour moi, Catherine, et tu finis par expliquer aux voyageurs que nous sommes françaises et allons à Potsdam. Une petite fille aux nattes blondes essaie de boire sans renverser l'eau de son gobelet et m'offre de partager sa boisson.

La gare de Potsdam est flambant neuve, mais le tram brinquebalant qui nous emporte vers la vieille ville est un vestige de l'ère communiste. Tu m'as proposé d'aller tout de suite chez R. Duval.

— Je préfère que nous nous promenions d'abord.

À Potsdam, il y a le château, et je me sens fébrile. Je retarde volontairement le moment de la rencontre avec l'inconnu de l'annuaire. Je ne suis pas sûre de vouloir le rencontrer. Tu m'as forcé la main, Catherine. Je n'ai pas dit à Bernard au téléphone le motif de notre excursion. Tu l'as remarqué, Cathy, et tu me l'as reproché.

— Tu aurais quand même pu l'en informer.

— Je n'ai pas voulu l'embêter avec ça !

Une bruine à gouttes serrées glisse en silence sur la ville. Nous avons ouvert nos parapluies pour circuler dans les allées du parc de Sans-Souci. Le temps n'est pas au tourisme dans un jardin. D'ailleurs nous ne croisons que quelques groupes d'Asiatiques qui courent, tête baissée. Les chemins de sable transpirent l'eau comme une éponge. Nous montons faire le tour du « Versailles allemand » de Frédéric le Grand. La vue est bouchée. Les hauts arbres, qui pleurent la pluie, les étroites allées, ont malgré tout quelque chose de romantique. Je m'arrête au pied du ginkgo au tronc énorme du pavillon chinois.

— Je demanderai à Bernard d'en planter un à Tourtras.

Tes baskets poreuses prennent l'eau. Nos bas de pantalons sont mouillés. Tu tends ton appareil à un couple de promeneurs et nous prenons la pose, malgré le ciel désolé, devant la statue de Friedrich der Grosse.

— R. Duval nous attend. On y va ? me dis-tu.

— Tu crois ?

Je m'aperçois que j'ai peur, comme si, tout d'un coup, la vérité pouvait me sauter à la figure. Je n'ai plus envie du tout d'aller rencontrer ce R. Duval, et je souhaite qu'il ne soit pas chez lui.

— Maman, nous sommes venues pour ça !

Tu me traînes, Catherine, et nous ramènes vers les maisons de briques du quartier hollandais où tu as repéré sa rue sur la carte. La ville est grande. Tu marches d'un pas alerte. Pourquoi t'ai-je suggéré ce voyage insensé vers cet inconnu qui n'a rien à voir avec nous ?

— Pense aux questions que tu veux lui poser, maman. Je te servirai d'interprète.

— Je n'ai rien à demander...

Tu me lances un regard plein de reproche. Beaucoup de restaurants, de galeries d'art et de magasins d'antiquités, occupent les maisons restaurées du quartier historique. Une fillette brune montre son nez par une porte entrebâillée. Une voix de femme crie. La fillette referme la porte. Tu chuchotes :

— Des Turcs.

Nous arrivons devant le numéro indiqué sur l'annuaire, et une plaque de cuivre avec l'inscription : *Doktor R. Duval.*

Le cœur me saute dans la poitrine. J'ai cru lire *Renée Duval.* Je n'ai tout d'un coup plus de jambes, les picotements m'envahissent les membres. Tu glisses ta main sous mon bras.

— Ça va aller, maman ?

— Donne-moi un sucre !

Je happe l'air et la pluie comme un poisson,

193

croque le sucre, reprends mon souffle. Je m'accroche à ton bras.

— Ça ira.

Le cuivre de la plaque, soigneusement frotté, brille de tout son éclat. Ce R. Duval doit être médecin. Je pense à l'écriture du corbeau sous le heurtoir de Tourtras.

— Qu'est-ce qu'on fait ? me demandes-tu.

— Marchons encore jusqu'au bout de la rue, nous sonnerons en revenant.

Tu me regardes au retour, et tires sur l'anneau sans attendre ma réponse. Le ciel continue de tomber en fines gouttelettes. Tu me tends ton mouchoir pour que j'essuie ma figure mouillée.

Une silhouette s'agite derrière la vitre de la double porte. Un homme en chemise blanche nous ouvre, tend vers nous un visage inquiet, les yeux bleu-gris derrière des lorgnons cerclés de fer. Je lui donne au moins l'âge de Bernard. Il est maigre, la figure étroite.

Tu lui dis que nous cherchons M. Duval. Il incline le buste.

— C'est moi.

Il se recule aussitôt, nous invitant à entrer. Je ne sais pas si nous devons. Mes mollets tremblent toujours. Mais il pleut. Nous secouons sur le trottoir nos parapluies qui nous embarrassent.

Une bouffée de chaleur sort par la porte ouverte.

Tu rejettes ta capuche de K-way sur tes épaules. Je glisse ma toque de fourrure sous mon bras. Nous piétinons sur le parquet de l'entrée où nos souliers laissent des traces. Notre hôte toussote. Nous restons un moment, face à face, dans un silence gêné, lui attendant, nous ne sachant pas par où commencer. Il a les cheveux cendrés des blonds dont l'éclat se ternit, peut-être comme seraient les miens si je ne les teignais pas. Une raie les partage sur le côté droit. Je cherche malgré moi une ressemblance. Et comme ma gorge est nouée, comme je ne me décide pas, bien que tu m'y encourages des yeux, tu commences.

— Nous sommes françaises. Maman a le même nom que vous…

La figure me brûle à cause de la chaleur de la maison, mais surtout des yeux gris qui viennent de se tourner vers moi et qui ont compris, j'en suis sûre, les raisons de notre présence ici.

Il sourit. On dirait plutôt un professeur. La mèche de ses cheveux glisse sur son large front, et il la repousse du doigt.

— Doufal…, dit-il, sans perdre son sourire timide. Il corrige et prononce à la française :

— Du… val !

Son sourire s'épanouit plus large. Je me montre du doigt :

— Je m'appelle Renée Duval.

Puis toi :

— Catherine Duval.

Il nous imite :

— Richard Du… val.

Nous rions ensemble. Mon cœur s'emballe de plus belle. Et si l'impossible se réalisait ? Si le destin nous avait conduites de Tourtras à Potsdam ?

Tes yeux scintillent, Catherine. Tu y crois toi aussi, un instant.

Richard Duval toussote, cherche ses mots, et prononce lentement en français, en me fixant à travers ses lunettes :

— Je ne suis pas… votre frère…

Il rougit, et je rougis en même temps que lui. Sa mèche de cheveux glisse sur ses sourcils. Il continue, plus vite, en allemand.

— Mes ancêtres français ont émigré en Brandebourg à la fin du XVIIe siècle, après la révocation de l'édit de Nantes. Ils se sont installés à Potsdam et n'en ont plus bougé depuis trois siècles.

Il vérifie sur moi l'effet de ses paroles tandis que tu me traduis, et il hoche la tête.

— Vingt mille Français ont répondu à l'invitation de Frédéric-Guillaume en 1685. Un habitant de Berlin sur trois était français à la fin du XVIIᵉ siècle !

Il montre dans des cadres de bois noir sur le mur les gravures de Kirchner, dont tu me répètes le nom, qui illustrent des scènes de rues des années 1930 à Berlin. Je reconnais *l'Église française* que nous avons visitée, réservée au culte des protestants français de Berlin.

Tu l'interromps, Catherine, et tu insistes pour lui poser délicatement la question qui nous intéresse :

— Quelqu'un de votre famille n'aurait pas entretenu des relations avec des Français, ou des Françaises, pendant la guerre ?

Il a compris. Il est intelligent cet homme. Il répond fermement.

— Mon père était dans la marine hitlérienne. Il a coulé avec son U-Boot en 1944.

Et puis il se raidit, s'arrête. J'ai l'impression soudain qu'il ne nous voit plus.

— J'étais dans la station d'U-Bahn Jannowitz Brücke, le samedi 3 février 1945, dit-il, comme s'il parlait tout seul. (Tu me traduis à voix basse.) J'avais un peu plus de dix ans. Nous étions des milliers à l'abri au bord des quais. Les bombes sont tombées en tapis. Elles ont rasé le centre de la ville, de Schlesicher

Bahnhof au Tiergarten, détruit l'église française. La ville s'est mise à brûler. La chaleur était étouffante. Je tenais ma mère d'une main, et mon petit frère de l'autre...

Il se tait tout d'un coup, pose sur nous ses grands yeux tristes comme s'il nous découvrait, bat des paupières, et disparaît dans sa maison, suivi du chat, après nous avoir indiqué d'un signe d'attendre. Nous nous regardons, perplexes, bouleversées, en silence. Il revient et déplie devant nous, sur un lutrin, l'arbre généalogique de sa famille, qui remonte à 1520. Le premier Pierre Duval était paysan-coutelier à Thiers, en Auvergne. Son descendant, Jean-Pierre, s'est installé comme passementier à Potsdam.

— Il y a d'autres Duval en Allemagne, explique-t-il, descendants de Pierre, en France aussi, car tous les Duval n'ont pas émigré. Il y a eu un père Duval, jésuite français, qui chantait.

Nous hochons la tête. Il cherche ses mots, et dit en français, aidé par toi Catherine, et retrouvant peu à peu son sourire :

— Nous ne sommes pas frères, mais sans doute petits-cousins... Vous voulez les adresses d'autres Duval en Allemagne ?

Nous remercions. Si nous en avons besoin, nous les lui demanderons par la suite.

Nous nous disposons à partir. On dirait qu'il essaie de nous retenir. Il nous interroge sur notre région, la Charente, qu'il ne connaît pas. Il est amateur de cognac. Il nous serre la main avec cette inclinaison caractéristique du buste, nous accompagne sur le seuil. Tu lui as donné ton adresse à Rome, Catherine, et la nôtre en Charente.

La grisaille de la bruine plombe toujours Potsdam. Nous nous retournons et nous saluons encore de la main comme si nous étions devenus des amis. Je frissonne après la chaleur de la maison. Tu dis, rêveuse :

— Tu as vu comme cet arbre généalogique était superbe ? Tu n'aurais pas envie qu'on t'en fasse un comme ça, à toi aussi ?

Je soupire.

— Je suis allée demander des renseignements sur ma mère au bureau des pupilles d'État le lendemain de mes dix-huit ans. Le responsable ne me les a pas refusés, j'étais dans mon droit, mais il m'a conseillé de prendre le temps de réfléchir. Est-ce que je ne risquais pas d'être déçue ? Ma mère valait-elle la peine d'être retrouvée ? Elle m'avait abandonnée. Si je voulais des renseignements, il fallait que je me rende à la mairie de La Rochelle. J'ai fait le voyage. Ils m'ont donné une adresse, où on ne se souvenait pas d'avoir connu ma mère. J'étais juste mariée. Papa et maman Paillat partageaient l'avis de ce responsable, craignant que ce que j'allais trouver ne me bouleverse. J'ai interrompu mes recherches.

— Mais tu n'as plus dix-huit ans, maman. Jacques et moi pourrions essayer de la retrouver... Serais-tu d'accord ?

— Je ne sais pas.

Nous nous blottissons sous nos parapluies, et nous marchons l'une près de l'autre en silence jusqu'à ce que nous atteignions le tram.

Notre voyage s'est très vite achevé ensuite. Nous sommes allées nous perdre dans les ruelles du vieux quartier berlinois de Moabit aux murs encore criblés d'éclats de bombes et de balles, et nous avons pensé à Richard Duval. Je me souviens d'un très vieux lierre accroché à un reste d'usine en briques aux ouvertures murées. Il avait probablement connu la prospérité d'avant-guerre, survécu aux bombardements, et traversé l'ère communiste.

Tu m'as emmenée écouter un superband de blues dans un Jazz Club enfumé de Charlottenburg. Les chants et la musique des Noirs américains exilés ont remué en moi toutes ces choses qui m'ont conduite à Berlin, même si je ne comprenais pas un mot des paroles.

Je regrette seulement de ne pas avoir visité un cimetière. Mon intérêt pour les cimetières vient sans doute de ce que celui de Martignac est à cinquante mètres de la maisonnette, au milieu des vignes. J'ai vu défiler devant notre seuil les cortèges funèbres de toutes les familles du pays. Les morts, disait papa, étaient nos plus proches voisins. Et nous avons beaucoup joué, petit Maurice et moi, entre les tombes, souvent chassés par le père Dubois, le fossoyeur, qui nous reprochait d'y faire des bêtises.

Nous avons décollé de Berlin dans un brouillard givrant qui bouchait la vue et a retardé notre départ. Tu t'es empressée, Catherine, à Orly pour embarquer dans un autre avion en partance pour Rome. Nous nous sommes embrassées avec des bruits de bouche sur les joues, comme nous en avons l'habitude pour manifester bien fort notre affection.

— Faites bien attention à vous, as-tu insisté avant de te sauver.

J'ai eu l'impression d'être partie depuis très longtemps dans l'autorail qui suit la rivière, après Angoulême, et de redécouvrir mon pays. On était au milieu de l'après-midi. La brume bleutée filtrait la lumière comme un tamis. La fumée traînait mollement autour des cheminées dans l'air immobile. La Charente grossie par les pluies d'automne était à ras bord. J'avais téléphoné à Bernard en gare d'Angoulême.

J'ai repensé au vieux lierre de Moabit. Comme lui j'étais attachée à mes pierres. Comme lui on ne pouvait pas m'en détacher, ou j'allais mourir.

III

Le parc

13.

J'ai été naïve en confondant l'écriture et le tricot. Il n'y a rien de mécanique là-dedans, et le maniement des mots est autrement difficile pour quelqu'un comme moi. J'approche mon fauteuil de ma table chaque matin avec angoisse, en me demandant si je vais retrouver le fil. Il est fait de nos cris, notre sueur, notre sang. Je me demande si ce n'est pas une tâche vaine. J'ai envie de faire demi-tour. Et puis je vous retrouve, Catherine, Bernard, Jacques. Je me retrouve. Je m'exalte. Il faut surtout que je sois la plus vraie possible, que je ne m'embarrasse pas de mots, que je sois moi. Il faudrait que l'air circule comme il le fait autour de Tourtras et dans le lit de la Charente. Je ne sais pas si je vais être à la hauteur pour raconter ce qui m'attend. Est-ce que j'en aurai la force, et l'audace ? Il serait tellement plus facile de tourner la page. Mais dans la situation où je suis maintenant, je crois que mon devoir est de continuer. Vous le savez, je suis une femme de devoir. On verra bien, le moment venu, si je serai capable d'affronter le drame et la folie. Pour l'heure, je vais ajouter une maille, une aiguillée. Le tricot, encore !

J'ai aperçu Bernard dans la gare de Château-neuf avant qu'il ne me voie. Nous ne nous sommes pas attardés en effusions sur un quai où tout le monde nous connaissait. Nous avons chargé ma valise dans le coffre de la voiture, nous sommes assis.

Il me regarde, ne démarre pas. J'ai deviné de l'autorail qu'il était inquiet. La façon de marcher ou de mettre ses mains dans les poches suffit pour comprendre ce que ressent l'homme qu'on aime.

— Tu n'as pas mauvaise mine, me dit-il.

Je retrouve dans la boîte à gants le calendrier de la Poste qui nous sert de carte routière du département, le vieux chiffon pour essuyer le pare-brise, le bloc-notes et le crayon des commissions. Je respire une odeur familière. Huit jours d'éloignement entre nous ont été une éternité.

— Toi, tu vas bien ? lui dis-je à mon tour, et je cherche sa main.

— Ça commençait à devenir long !

205

La lumière du soir l'éclaire de profil. J'effleure les poils de sa moustache. Il tourne la clé de contact. J'appuie ma main sur sa jambe.

— Ça s'est bien passé avec Catherine ?

— Très bien.

Nous franchissons la voie ferrée et le pont sur la Charente, roulons sur la route de la vallée.

— À Berlin, on a eu de la pluie tous les jours.

La silhouette de notre colline se profile sur le couchant, le cimier du cèdre, le logis, le chapeau conique du pigeonnier, et les autres maisons de Tourtras ameulonnées autour. Mon cœur saute.

Je commence à raconter, en désordre. Un chien traverse la route. Pilule, le chien du père Compain, qui trottine, sans accélérer, l'air de dire : je suis chez moi ! Bernard le klaxonne.

Nous rentrons dans la cour de la venelle. Je regarde notre petite maison avec tendresse, son toit très court d'un côté, et l'autre qui n'en finit pas, pour aller couvrir le garage et l'atelier de Bernard. Pompon, comme s'il m'attendait, se précipite et se frotte contre mes chevilles.

Je pousse la porte de la cuisine, la cocotte sur la gazinière respire la bonne odeur du dîner que Bernard a mijoté pour nous, ce doit être de la blanquette de veau.

C'est Bernard qui me propose :

— Veux-tu que nous descendions au logis avant qu'il ne fasse noir ?

— Ça me fera du bien de marcher. Tu me montreras ce que tu as fait.

Je le prends par le bras. Retrouver les pans de murs noircis et les chevrons calcinés me serre le cœur. Des tôles tordues et rougies par le feu et l'eau sont entassées dans une ouverture béante, des cercles de barriques, des tonneaux à moitié brûlés dans le chai.

— L'assureur est passé hier. La reconstruction des bâtiments à l'identique coûterait une fortune. Il propose de refaire la maison des domestiques, et de raser tout le reste.

— Qu'il le fasse vite.

— Heureusement la distillerie a été épargnée. Il propose la réparation de la toiture et du portail pour la remettre à l'abri. Mais les gendarmes n'avancent pas. Les paperasses de l'administration empêchent pour l'instant de toucher à quoi que ce soit.

Il m'entraîne vers le pignon sud du logis dont les derniers joints de ciment blanc qu'il a terminés ce matin sont encore humides. Et puis, avec le mouvement las des épaules que je lui ai remarqué sur le quai de la gare, il se tourne vers la grille de la cour du logis et, de la tête, désigne les piliers. Les flammes qui trônaient

à leur sommet ont disparu. C'étaient de superbes coupes de bronze où les jardiniers de la
grand-tante avaient autrefois planté des iris.

— Les voleurs ont utilisé mon échafaudage
pour se servir. Il est probable qu'ils n'aient rien
à voir avec le corbeau. Des voyous pillent les
vieilles maisons pour revendre dans les bro-
cantes.

— Tu as prévenu les gendarmes ?

— J'ai l'impression parfois d'être devenu
pestiféré. Mon copain Pasquereau m'a tourné
le dos à la gare, tout à l'heure. Philippe m'a dit
que des bruits couraient disant que c'est peut-
être nous qui avons mis le feu pour faire payer
les travaux par l'assurance.

— Et alors ? Ça te surprend ? Moi, je suis
née pestiférée, je sais ce que c'est. Ça ne t'était
jamais vraiment arrivé. Même marié avec moi.
Tu étais un Villebois. Je me fiche pas mal de
ce que racontent ces gens. Et puis, ils ne sont
pas tous comme ça…

Bernard est né dans une famille où l'on avait
le souci du qu'en dira-t-on. Il s'en est moqué
dans sa jeunesse, en m'épousant. Les vieux ré-
flexes reviennent en vieillissant. J'éprouve,
quant à moi, le furieux besoin de me remettre
à l'ouvrage devant notre logis. De quel métal
suis-je faite, moi qui ne sais pas qui je suis ?

Je ne prends plus de pilules roses. Le voyage en Allemagne m'a remise sur pied. Je tire Bernard par le bras et le conduis vers la terrasse tandis que les fumées s'étalent sur le lit de la Charente et enveloppent les arbres et les ponts dans les ombres violettes du soir. Les restes du soleil d'hiver chauffent encore doucement. Les broussailles du parc sont au-dessous de nous.

— Nous avions dit que nous le nettoierions. Qu'est-ce que tu dirais de s'y mettre ? Ça me donnerait de l'exercice.

— Quand ça ?

— Demain !

— Dès demain ?

Je hoche la tête.

Il s'appuie à la balustrade, parcourt du regard le désordre du parc, me sourit, passe la main sur mon épaule.

— Toi, alors !

Je laisse aller ma tête sur son épaule. Les fumées de la rivière bouillonnent et aplanissent tout, comblant la vallée, à chaque instant plus épaisses.

— J'ai cru pendant les premiers jours que tu n'allais pas vraiment me manquer, me confesse-t-il. Au début, je me suis occupé. Et puis après…

Il me montre deux érables dans le parc.

— Tu as vu ces arbres l'un à côté de l'autre. On ne peut plus les séparer parce que leurs racines sont trop mêlées.

— Beaucoup de choses nous attachent. Trente-cinq ans de vie ensemble, nos enfants, ce logis… Au début, je n'étais attachée à rien…

Entre nous ça n'a pas toujours été un long fleuve tranquille. Il y a eu des disputes, comme dans tous les couples. Mais, une seule fois, j'ai eu vraiment peur, et j'ai douté de l'avenir de notre mariage. C'était après ta naissance, Catherine, peu de temps en fait après la donation du logis par la grand-tante. Bernard n'est pas rentré à la maison pendant trois soirs de suite. Il faisait alors la ligne Angoulême-Poitiers. Il s'arrangeait toujours pour ne pas découcher plus d'un soir. Il dormait à Poitiers. Cette fois, il a été absent pendant trois longues nuits, sans explication, sans prévenir. J'ai cru devenir folle. J'ai pensé d'abord à un accident. Je suis partie à vélo, à la gare de Châteauneuf, avec toi dans le panier sur le porte-bagages, Catherine. Tu avais un peu plus de deux ans. Il devait être dix heures du soir. On était au printemps, des touffes de brouillard montaient de la rivière. J'étais morte d'inquiétude.

Je suis allée frapper chez Chousse, le chef de gare. Lui et sa femme ont été surpris de nous voir à leur porte à cette heure-là. Non, Bernard ne leur avait pas téléphoné pour prévenir qu'il ne serait pas là. Non, un accident sur la ligne n'avait pas été signalé. Ils ont essayé de me rassurer, comme cela se doit, ils nous ont fait asseoir et nous ont offert quelque chose à boire. Mais, moi qui avais l'habitude de la pitié, il ne m'a pas fallu longtemps pour comprendre. Les histoires de femmes trompées sur la ligne étaient courantes. Je suis rentrée à la maison en claquant des dents.

Et j'ai attendu toute la nuit, toute la journée du lendemain, et encore la nuit suivante. J'ai entendu les trains siffler au loin, dans la vallée, et ce n'était plus un cri joyeux. Je suis redescendue le deuxième soir à la gare de Châteauneuf, à l'heure du dernier train d'Angoulême. J'ai guetté dans le noir. La transpiration me collait la chemise parce que j'avais pédalé vite. Je t'avais laissée dans ton petit lit, Catherine. J'ai vu Chousse avec son fanal côté rouge quand il a traversé les voies, et puis côté vert quand le train est reparti sans que Bernard en soit descendu. J'étais comme une serpillière, et je n'y croyais plus, lorsque Bernard est revenu, le troisième jour, à midi. Il est descendu de sa voiture, et il ne m'a pas regardée en face. Je lui ai demandé bêtement — je ne devais pas être belle après ces trois jours et ces nuits :

— Où étais-tu ?

Il m'a répondu :

— Sur la ligne.

Il avait le teint frais. Il n'avait pas l'air plus fatigué que ça. Mais il avait le visage si fermé ! Vous connaissez votre père. Je savais que je ne tirerais pas un mot de plus. Je ne lui ai pas posé d'autres questions. La vie a repris, silencieuse, avec cette chose entre nous. À chaque fois qu'il repartait, au début, j'avais le cœur qui battait, me demandant s'il allait revenir. J'étais convaincue qu'il y avait une femme par-derrière. Je suis allée interroger Pierre, le témoin de notre mariage, qui n'était au courant de rien. De toute façon, même s'il avait été informé, je pense qu'il ne m'aurait rien dit. Le temps a couru. Il s'est certainement passé quelque chose à ce moment-là, mais je n'ai pas su quoi.

Et puis je suis tombée enceinte de toi, Jacques. On n'en a jamais reparlé. On a fait comme si on avait oublié. Il en est resté toujours une ombre, une part de doute.

Je revêts donc en même temps que lui, le lendemain matin, le jean et la grosse chemise de travail à carreaux rouges et blancs. Il s'approche, palpe mes biceps et mes poignets :

— Tu as besoin de te remplumer. Tu n'as pas grossi.

— L'intérêt de la maladie, c'est qu'elle fait perdre des kilos.

Il hausse les épaules, et observe mon bon appétit au petit-déjeuner. Il est vrai que mes semaines de dépression m'ont fait fondre. Ma ceinture a gagné quelques crans.

La machine à laver tourne dans le cellier. J'arrose de lait les bouchées de pain découpées dans mon bol et les donne à Pompon.

— On y va ?

Bernard endosse sa canadienne. La brume a empêché le gel, et elle se dissipe avec le jour. Il ne fait pas froid. J'aime ces matins frais. Je glisse mes cheveux sous mon bonnet.

— Je mettrais bien ma toque de fourrure, dis-je en riant.

— Alors là, les gens te prendraient vraiment pour une étrangère !

— Les gens, toujours les gens !

Les murs du logis tremblent dans les feux dorés de l'hiver. Le nettoyage leur a donné un peu trop d'éclat. Ils se dressent sur la rivière comme une pâtisserie toute fraîche. À cause de ça, sans doute, ils ont attiré les voleurs. Les

213

pluies, le froid, le soleil, les patineront vite.

Bernard descend l'escalier du bord de la terrasse vers le parc, avec les outils, et dégage tout de suite à la faucille le buisson qui ne laisse qu'un étroit couloir où passer. Les longues tiges d'acacia qui l'ont envahi sont dardées d'épines dangereuses. Il me demande la serpe.

— Tout à l'heure, nous mettrons le feu à tout ça.

Il m'invite à prendre à mon tour la faucille. J'enfile les gants de cuir. Il tâte du pouce la lame.

— Passes-y souvent la pierre. Ne t'épuise pas à cogner avec un outil qui ne coupe pas.

Il monte l'escalier, revient avec la tronçonneuse et son odeur d'huile et d'essence, s'impatiente de la mauvaise position de la chaîne, démarre. J'œuvre dans l'éclat blond des poussières de sciure et les relents de gaz. Les rejets d'acacia s'affaissent sous les dents de la machine.

Il fait incroyablement beau. Des vignes sur les coteaux sont encore parées d'or comme pour refuser l'hiver qui les tire vers le noir. Le soleil se noie dans les froissements de tissu de la rivière.

— Si vous voulez un coup de main…, lance d'en haut le père Compain sur la terrasse. Ça m'est plus facile que de monter sur les échafaudages !

Le museau noir et blanc du chien Pilule passe entre les colonnes de la balustrade.

— C'est dur, lui répond Bernard.

— J'ai l'habitude…

— Si ça vous amuse, père Compain…

— Lui, en tout cas, n'a pas changé avec nous,
dis-je tout bas. Il continue de venir nous voir
comme avant.

Le bonhomme s'en va et revient bientôt, avec
Pilule à la ficelle, et sa faucille.

— Commande-moi ! demande-t-il.

Et comme s'il nous avait entendus :

— N'écoutez pas tout ce qui se raconte, les
enfants. Il y a des jaloux partout. Moi, je n'ai
pas fait grand-chose dans ma vie, mais ce que
j'ai fait, je l'ai fait tout seul. Je ne me suis pas
occupé des autres… Ça ne va pas durer, ces lettres et ces coups tordus. On n'est pas chez les
sauvages !

Le père Compain n'a pas la vivacité de Bernard. Mais où il passe, l'herbe est comme un
gazon, bien plus belle que la mienne marquée
par mes coups de lame. Il bavarde sans cesse,
la langue au rythme de sa faucille, s'adresse à
Pilule qui plisse le front quand il lui parle.

— Puisque vous êtes deux, maintenant, dis-je, je vous abandonne pour aller faire les commissions. Vous mangerez avec nous, père Compain ?

Bernard se redresse, s'essuie le front.

— Tu y vas toute seule ?

Comme si je n'en étais pas capable ! Mais c'est vrai qu'avant Berlin je lui demandais de m'accompagner.

Je pousse mon caddie dans le magasin d'un pas décidé. Par hasard, Mme Henry se précipite pour apporter de la monnaie, lorsque j'approche de la caisse. Elle a le chignon en bataille, les lèvres aussi peinturées qu'à l'habitude.

— Que devenez-vous, madame Villebois ? Il y a longtemps qu'on ne vous avait pas vue !

— J'arrive de Berlin. J'accompagnais ma fille, qui s'occupe de musique, comme vous le savez, et prépare l'inauguration de la nouvelle ambassade de France.

— De Berlin ? Il ne faisait pas trop froid ?

— Il pleuvait. C'est une ville formidable, vous savez. Aujourd'hui les temps ont changé. On fait l'Europe, n'est-ce pas ?

— Elle ne sera pas facile à faire. Il y a tellement de sottises qui traînent dans les têtes, tellement d'intérêts, tellement de vieilles histoires…

Je vois, bien sûr, à quoi elle pense. Elle continue :

— On ne peut pas demander aux gens d'oublier. Mais quand on a affaire à un malade, un fou, qu'est-ce qu'on peut y faire ? Je suis bien triste de ce qui vous est arrivé. On m'a dit que vous étiez malade.

— C'était vrai.

La jeune caissière d'à côté lui demande le prix d'un article. Mme Henry me regarde, m'adresse un sourire, aux dents tachées de rouge. Ce sourire me fait du bien. Cette femme vaut mieux que ses lèvres outrageusement rouge baiser, et ses paupières passées au bleu.

Le beau temps a résisté une semaine, et puis a décliné lentement pendant les premiers jours de décembre. Les brumes se sont alourdies sur la Charente, et le soleil a eu du mal avec elles.

Un matin, on a vu ces grands drapeaux de bourre grise se lancer à l'assaut de nos collines comme si les eaux de la rivière sorties de leur lit montaient vers nous avec des roulements de vagues, des glissements de vaisseaux fantômes. À midi, tout le val de Charente était noyé dans cette poix grumeleuse, et à quelques mètres l'un de l'autre, sur notre chantier de défrichage, nous n'étions plus que des ombres.

L'hiver en a profité pour resserrer sa poigne. J'ai mis mon tricot de laine pour travailler. Nous nous sommes hâtés. Le temps n'encourageait plus à la parole et au rire. Nous craignions de ne pas arriver au bout de notre première tranche de défrichage du parc qui descend par paliers jusqu'au mur d'enceinte, à mi-pente de la colline. Nous étions heurtés au boqueteau de pins et d'épicéas couchés par la grande tempête. Leurs rames noires masquaient la vue du côté de Châteauneuf et, plus loin, de la lumineuse tranchée ocre de la carrière.

Bernard se coltinait la tronçonneuse. Moi, je récupérais les billots et les entassais. Le père Compain, encore avec nous, brûlait les branches. Parfois les braises de la veille sous la cendre suffisaient pour rallumer le feu.

Une écharpe de laine autour de la gorge, le vieux toussait, mouchait.

— C'est cette saleté d'humidité qui me donne de l'asthme. L'hiver est mauvais pour les vieux. Il sent le cercueil.

Il n'est pas venu le matin où il s'est mis à pleuvoir. Nous avions pris nos capuchons de vendangeurs, car il ne restait plus qu'un sapin à abattre. Mais la pluie a cinglé. La chaîne de la tronçonneuse a glissé sur l'écorce.

— Le père Compain a raison, a dit Bernard.

C'est comme ça qu'arrivent des bêtises.

Nous avons abandonné le chantier. Mes doigts étaient « grappe », dans mes gants de cuir trempés. Le vent un peu plus au nord, la pluie se serait changée en neige.

L'arrivée du mauvais temps ne me déplaisait pas. Nous allions nous replier à l'intérieur. Bernard préférait l'extérieur. Nous nous étions chamaillés au début parce que je voulais commencer par l'aménagement des pièces. Il me reprochait de mettre la charrue avant les bœufs. Je l'ai pris par la manche de son caoutchouc tandis que nous remontions l'avant-cour en direction du porche.

— Viens dans le logis ! Rentrons à l'abri.

Je suis ressortie, aussitôt, sous l'averse battante. Les branches du magnolia grondaient comme une mer démontée. J'ai couru vers les bâtiments de la buanderie qui ferment la cour et je suis revenue avec un fagot de vieux bois poussiéreux qui datait de l'époque de la grand-tante.

— On va voir si la cheminée de la grande pièce tire aussi bien que la tante le disait.

Bernard a ouvert les volets. La grand-tante entassait ses affaires dans la salle qu'elle appelait son capharnaüm. Le sol en est pavé d'un curieux assemblage lisse de cailloux ronds de la Charente. On rôtirait un bœuf dans sa cheminée monumentale. Un manteau de bois en réduit le foyer.

Des morceaux de papier humide traînaient sur les planchers des chambres voisines. Bernard a soufflé dessus. Le bois archisec s'est embrasé. Nos capuchons suspendus aux clous derrière la porte s'égouttaient sur le pavage. Nous nous sommes assis sur la pierre du foyer. La cheminée ne fumait pas malgré le conduit froid. Mais nos pantalons et nos pulls mouillés, eux, se sont mis à fumer.

— Tu ne m'as pas emmené là seulement pour la cheminée, me dit Bernard. Explique-moi ce que tu as derrière la tête.

J'hésite.

— Je ne sais pas si tu vas être de mon avis… Cette maison me paraît maintenant trop grande pour nous. Les jeunes n'ont pas tort. Quinze pièces…

— Dix.

— Dix chambres, plus le reste… J'y ai pensé en Allemagne. Si on n'aménageait qu'une partie confortablement ?

— Quelle partie ?

— Celle-là. Cette grande pièce en salle à manger, le cellier à côté en cuisine, et le grenier au-dessus, où tu es tombé, en chambre à coucher. Ce serait un début…

— Et qu'est-ce que tu ferais du reste ?

— On verrait après.

Bernard regarde ses brodequins qui ont répandu leur eau sous eux.

— Tu veux reconstruire ici notre maison de la venelle.

— Ce sera beaucoup plus grand !

— Ce château te fait peur…

— Je ne suis pas née châtelaine. J'ai l'habitude des maisonnettes de garde-barrière. À Berlin, j'étais mal à l'aise à l'hôtel Adlon… Et puis si on met tout en chantier, comme on le devrait, on en a encore pour des années avant d'emménager.

— Tu changes tout d'un coup d'avis ! On avait prévu de tout faire, pour les enfants et nous.

— Ça n'intéresse pas les enfants. Et ça va coûter cher, même fait par nous !

Pendant que j'y suis, j'ose l'argument malhonnête :

— Le corbeau aura le temps de nous embêter. En aménageant tout de suite, nous lui enlèverons peut-être l'envie de recommencer.

Bernard n'est pas dupe.

— Tu crois vraiment que ça va changer quelque chose ?

Il me tourne le dos parce que le feu le brûle.

J'essaie de m'appuyer contre lui. Il éloigne son épaule, irrité. La pluie s'écrase contre les vitres. De l'eau s'infiltre par une commissure entre verre et bois, et goutte par ce larmier sur le dallage.

— On ne va pas pouvoir aménager comme ça, très vite. Il faudra quand même reprendre toute l'électricité ! Et le chauffage ? La chaudière est à l'autre bout de la maison. Comment chaufferas-tu en hiver, les trois quarts de la maison abandonnés ?

— La cheminée tire bien. On pourra installer des convecteurs.

— Tu as pensé tout ça avec Catherine, à Berlin ? Il se lève.

— Pas avec Catherine. Tu ne crois pas que ça serait raisonnable de commencer modestement, comme ça ?

Il ne répond pas, marche vers la fenêtre.

Je me lève à mon tour. Les rideaux de pluie bouchent l'horizon au-delà du parc. Le chêne d'Amérique, sur son terre-plein dégagé, brasse ses branches au vent comme un désespéré qui se noie. L'eau vernit le rond noir du brûlot du père Compain. Je hasarde une main vers son épaule.

— Combien de temps faudrait-il à ton avis pour des travaux comme je dis ?

Il appuie le doigt sur l'encoignure où l'eau s'infiltre.

— Tu m'embêtes !

Ta voiture entre dans la cour de la venelle, le week-end suivant, Jacques. Je ne te reconnais pas. Tu portes une chemise et une cravate. D'habitude tu te moques de ta toilette, et je te le reproche. Tu dois avoir maigri un peu et, surtout, tu as coupé tes cheveux. Tes belles boucles ont disparu. Je cherche encore à retrouver ton visage d'adolescent avec mes mains sur tes joues en t'embrassant.

— Qu'est-ce qui t'est arrivé ?

— Je vais te dire, maman.

Je prépare des pommes de terre que je vais mettre autour du poulet au four, comme tu les aimes. Les vitres sont embuées. Nous avons allumé la lumière.

— As-tu un autre couteau ? me demandes-tu.

Tu ne m'as pas aidée depuis dix ans. Je ne vous ai pas embêtés avec les travaux ménagers parce que je préférais vous laisser le temps pour vos études. Je sors du tiroir le couteau à manche de bois et lame pointue que nous appelons toujours : « le couteau de Jacques ».

On n'entend plus que le bruit de nos lames

qui épluchent, le choc d'une pomme de terre pelée rejoignant le tas sur le torchon, le chuintement du poulet dans le four.

— Ne prépare pas trop, maman !

— Tu verras si nous ne les mangerons pas toutes ! Mais tu n'es pas venu pour éplucher des pommes de terre ?

Tu ne me réponds pas. Bernard, qui entre, propose d'aller chercher le pain et t'interroge du regard, la main en suspens sur la poignée. Comme tu ne bouges pas, il s'en va. Je regarde la pendule. Je devine que, si tu n'as pas bougé, c'est que tu as vraiment quelque chose à me dire. J'attends, un peu inquiète. Nous prenons une nouvelle pomme de terre en même temps, nous sourions, et tu te décides.

— Tu as raison, maman, de ne vouloir aménager qu'une partie du logis, papa m'en a parlé.

— Tu me trouves raisonnable, cette fois ? Tu reprends :

— J'en ai parlé avec Catherine, et… Agnès…

— Agnès ? Quelle Agnès ?

— Lacourlis… de Vinade.

Je cesse de peler. C'est donc ça qui t'a changé à ce point. J'aurais dû comprendre.

— C'est sérieux ?

— Je l'espère.

La pendule sonne la demie. Je connais la propriété des Lacourlis, qui commercialisent leur cognac depuis longtemps. Pendant que d'autres attendaient des jours meilleurs en se lamentant, le petit père Lacourlis courait les grandes foires pour y vendre ses eaux-de-vie.

— Comment vous êtes-vous connus ?

— On se connaît depuis le collège, maman !

J'aurais préféré une fille d'ailleurs. Je crains que nos histoires vous rejoignent et vous fassent souffrir. Mais tu rayonnes, Jacques, tu es amoureux. Comment ne m'en suis-je pas aperçue plus tôt ?

— Comment est-elle ?

Je sais que ma question est idiote. Demande-t-on à un assoiffé de décrire l'eau qu'il boit ? J'ajoute :

— Est-elle grande ? Brune ?

— Châtain… Elle est comme il faut.

Tu me souris. Avec les Lacourlis les choses peuvent être plus faciles. Ils sont à leur manière des gens comme nous, partis de rien. Le grand-père d'Agnès, domestique, conduisait les chevaux. Son fils a beau être devenu propriétaire de nombreux journaux de vignes à force de travail, il est un parvenu et n'appartiendra jamais au cercle des Champagnauds.

J'aime la lumière de tes yeux, Jacques. Je me

réjouis de ton visage d'amoureux. Agnès caresse cette peau, ces pommettes, ce menton, que je reconnais, qui viennent de moi, et je les trouve soudain plus aimables.

Nos mains recommencent à s'activer. Ton amour pour la petite Lacourlis a le mérite de te ramener au pays. Si tu avais aimé une Parisienne, tu ne serais probablement pas avec nous aujourd'hui.

Je te regarde encore, et je ris, en estropiant la pomme de terre que j'épluche.

— Tu as parlé d'Agnès à ta sœur ?

— Bien sûr. Si tu veux, je l'amènerai à la maison pour Noël. Catherine viendra.

— Catherine et Patrice ?

Bernard pousse la porte, le sac en toile cirée du pain sous le bras, et la referme rapidement derrière lui.

— Il recommence à pleuvoir !

Il suspend sa canadienne et sa casquette qui dégagent une odeur de chien mouillé.

— Qu'est-ce que vous complotez, tous les deux ?

Il a son visage boudeur, jaloux d'être tenu à l'écart.

— Ton fils est amoureux, Bernard !

226

14.

Vous nous avez joué la comédie, la première fois que vous êtes venus en Charente ensemble, Catherine et Patrice. Tu dormais chez nous, Patrice à l'hôtel, où tu allais le rejoindre. Tu inventais des visites à des camarades qui n'existaient pas. Tu n'osais pas nous présenter ton ami divorcé. Je t'ai demandé, quand tu t'es décidée à nous en parler :

— A-t-il des enfants ?

— Non.

— C'est sûr ? S'il n'a pas d'enfant, cela fait au moins une catastrophe de moins. Depuis combien de temps est-il divorcé ?

— Deux ans.

— Et depuis combien de temps était-il marié ?

— Deux ans.

— Il a de la persévérance, cet homme. Peut-être change-t-il de vie tous les deux ans !

227

Ce n'était pas une très bonne entrée en matière. Tu t'es fâchée, Catherine. Tu m'as répliqué, l'air pincé.

— Ce ne sont pas des gens qui vivent comme nous. Son père est toujours dans les avions. Il voyage beaucoup. Il travaille dans les hôtels Méridien.

Je ne savais pas ce qu'étaient les hôtels Méridien. Je t'ai répondu sur le même ton.

— Toi, tu te sens capable de vivre comme ces gens-là, et tu as peur que nous ne soyons pas à la hauteur !

Mais tu avais raison. Patrice n'est pas un homme comme nous. Il ne fait rien simplement. Il était plus gêné que nous quand tu nous l'as présenté dans notre cuisine de la venelle. Sa timidité et sa gentillesse nous ont convenu. Je reconnais que j'ai été flattée que ma fille plaise à un homme des ministères sorti des grandes écoles.

Vous vous êtes connus par la musique. Patrice venait d'entrer à la direction nationale de la Musique. Tu as abandonné, à cause de lui, la carrière dont nous rêvions pour toi. Je sais. Tu nous l'as assez répété : Tu étais une honnête exécutante. Tu ne serais jamais une virtuose.

Sans doute ne te trompais-tu pas, puisque tu es beaucoup plus détendue aujourd'hui que lorsque tu étais musicienne. Jacques s'est tout de suite entendu avec Patrice. Ton frère a ce don d'aller vers les autres. D'autant plus quand ils sont présentés par toi, Catherine.

Vous avez donc continué de descendre à l'hôtel des Ombrages quand vous venez en vacances en Charente. Ce qui nous déplaisait d'abord. Nous y voyions une dépense inutile, et une forme de honte du milieu où tu avais été élevée. Ce n'est finalement pas plus mal, à l'usage, que vous alliez à l'hôtel, puisque vous en avez les moyens. La maison est petite, vous venez quand vous voulez, vous êtes libres, et nous ne nous gênons pas.

Je suis encore en tablier lorsque vous arrivez, les uns après les autres, l'après-midi du 24 décembre. Une bruine grise, froide, berlinoise, enveloppe les choses. Ma cuisine m'occupait tellement que je n'ai pas entendu vos moteurs et vos portières. Vous avez frappé au carreau. Je ne vous ai pas permis d'aller plus loin. Je suis sortie vous embrasser sur le seuil.

— Restez dehors. Vous n'avez pas le droit d'entrer dans ma cuisine !

Tu as quand même glissé le nez par la porte entrebâillée, Catherine, pour respirer l'odeur des fourneaux.

— J'espère qu'il y a de la bûche au chocolat. Je veux de ta bûche de Noël, maman !

Je vous ai chassés. La pâte de la bûche roulée dans son torchon avec la confiture n'attendait plus que le chocolat.

— Si nous organisions le repas de réveillon dans le capharnaüm de la tante ? avais-je proposé à Bernard. Ça nous ferait oublier un peu les mauvais souvenirs du corbeau.

— Tu n'as pas peur qu'il fasse froid ?

— Nous allumerons la cheminée.

— Ça ne te compliquera pas la vie pour faire la cuisine ?

— Tout sera prêt. Je n'aurai besoin que du réchaud à gaz.

Bernard a allumé le feu plusieurs jours avant pour chasser l'humidité. Il s'est plaint de faire la navette de la venelle au logis, mais je sais que ce remue-ménage l'amuse.

— L'année prochaine, ce sera plus simple, dis-je, puisque nous y serons pour de bon.

Il me regarde. Rien n'a encore été décidé. Nous avons transporté la table de vendangeurs de Philippe, chargé la vaisselle dans la voiture.

— Ça ne va pas leur déplaire, aux jeunes, ce repas dans une maison qu'ils n'aiment pas ?

— La maison ne leur déplaît pas, ce sont tous les dérangements autour.

230

J'ai sorti mes antiquités de leur carton, les chandeliers de bronze, la poupée à tête de porcelaine, et la carafe de cristal. Bernard a coupé un genévrier dans les bois, dont j'ai garni le pied de papier crèche.

Agnès est venue sur notre banc, à côté de toi, Jacques, dans l'église de Châteauneuf noire de monde, pour la messe de minuit, et nous savions qu'à la sortie les gens allaient dire : « Vous avez vu ? La petite Lacourlis avec le fils Villebois ? » Elle est plus grande que je ne le pensais, plus que son père et sa mère. Elle a un regard doux entre les tortillons de boucles claires qui lui tombent sur les joues. Vos doigts se touchent sur l'accoudoir. Les cérémonies charentaises sont longues, la chorale vieillissante. Le prêtre en profite, pendant qu'il tient son monde, pour prolonger les commentaires. Des gens toussent. Un enfant parle. Est-ce que le corbeau se cache dans cette assemblée ? Je songe à ma cuisine, et me reproche ma distraction.

Tu chantes, Jacques. Il y a longtemps que je ne t'ai pas entendu chanter à l'église. Je prie pour que cesse la menace de notre bourreau.

Le chef Rabier, en civil, se tient deux rangées devant nous avec sa femme.

Gérard Blanchard s'approche du micro à

droite de l'autel et sa voix vibre tandis qu'il chante : *Minuit chrétiens...*

Il ne fait pas froid pour une nuit de Noël. La chaleur est douce dans la salle à manger. Bernard allume la guirlande électrique dans le genévrier. Nous avons accroché au mur, pour l'ambiance, le tableau du peintre Beppy Martin représentant une caravane dans le désert, trouvé dans une brocante.

— Non, maman, tu ne mets pas ton tablier de cuisine ! dis-tu, Catherine. Tant pis si tu te salis !

Je me méfie surtout de la sauce rouge de mon entrée. J'ai sorti les écrins de cuir de la ménagère de la grand-tante. Vous retournez les couverts pour examiner les blasons sur les manches.

Après le réveillon, à presque trois heures, Bernard propose la visite guidée du logis. Il marche devant avec un chandelier, les garçons ferment la marche avec un second.

— On n'allume pas d'autre lumière, comme à l'époque des Templiers !

On commence par les salles voûtées de la cave. Nos silhouettes dansent sur le crépi bosselé des murs. Les pièces exhalent toutes la même odeur de calcaire froid, et de vieille poussière. Les voix résonnent dans les salles vides. Bernard pousse les portes qui longent la large enfilade du couloir. Il nous entraîne jusqu'au fond dans le réduit aménagé autrefois en cabinet de toilette, sans doute par l'ingénieur.

— C'était une chapelle, avant.

Bernard montre les arcs brisés des ouvertures étroites sur le mur courbe. J'aime voir vos yeux briller. La chaleur de la nourriture et des vins n'y est probablement pas étrangère, mais aussi le mystère de la pénombre éclairée par l'ondulation des flammes des bougies. Tu me tiens par le coude, Catherine, lorsque nous montons l'escalier du grenier aux marches incertaines. Cet escalier de l'extrémité nord monte tout droit comme une échelle de meunier. Bernard élève les chandelles vers les planches de chanlatte que nous avons remplacées. On tend l'oreille, et on entend le vent glisser sur les tuiles, accompagné du piétinement feutré de la pluie qui a commencé de tomber à la sortie de l'église. Tu t'approches, Catherine, d'une boule de déjection du chat-huant, et tu t'arrêtes.

— Vous avez entendu ? Je crois que c'est une portière de voiture…

On écoute et, à ce moment, un verre tombe et

233

se brise, en bas dans la salle à manger. Nous nous regardons et nous descendons en silence, à la queue leu leu, le plus vite possible, Bernard et toi, Jacques devant, protégeant la flamme des bougies de votre main. Je viens la dernière, dans le noir, le cœur battant, la racine des cheveux glacée, tremblant de découvrir une catastrophe. Tu devances Bernard avec ton chandelier, Jacques, et tu entres le premier dans la salle à manger.

— Pompon !

Le chat, sur la table, se régale d'un reste de bûche. Le cristal d'un des beaux verres à pied a explosé sur le carrelage. Vous éclatez de rire, et vous retournez aussitôt vers moi dont les jambes tremblent, et qui ris jaune. Bernard pousse sans ménagement l'indélicat dehors, malgré la pluie. Et peut-être pour chasser les dernières ombres de la peur, tu t'adresses à ta sœur, Jacques.

— J'ai promis un cadeau à Agnès, toi seule peux le lui offrir…

— Moi ?

— Je lui ai dit que, pour fêter son arrivée parmi nous, tu jouerais quelque chose avec ton violon…

— Quel violon ? Je n'ai pas apporté mon violon.

— Celui de tes leçons de musique qui est sur l'armoire de maman.

— Pas celui-là. Je n'ai pas joué avec depuis quinze ans, et il a un horrible son de casserole !

Patrice est amusé, et il aimerait l'entendre. Bernard va le chercher.

Tu commences par décoiffer l'archet de ses crins trop vieux, Catherine, pas fière, comme l'élève que tu étais, redoutant le jugement de son professeur de conservatoire. Tu t'excuses d'avance. Et tu attaques le concerto de Mozart que nous t'avons entendu répéter sans cesse, qui t'a valu ta première place à l'école de musique d'Angoulême. Nous sommes projetés d'autant d'années en arrière. L'instrument n'est pas si mauvais que cela. Du moins pour ce que j'y connais, et il a surtout le mérite de répandre un savoureux parfum de nostalgie. Nous applaudissons, les yeux brillants d'émotion, la tête chamboulée par les souvenirs. Tu prends le violon à ton tour, Jacques. Tu aurais probablement joué aussi bien que ta sœur, si tu t'en étais donné la peine. Tu ne sors jamais sans un harmonica dans ta poche. Vous n'avez pas envie de vous coucher. Bernard et moi nous décidons à partir, vous laissant continuer, si vous le désirez, jusqu'au bout de la nuit.

Bras dessus, bras dessous, nous remontons le chemin blanc de l'avant-cour. Il ne pleut plus. La nuit est noire. Je scrute autour de nous, mine de rien, pour que ma méfiance n'inquiète pas Bernard. Les tilleuls supportent le plafond bas et leurs bras nus s'égouttent. On entend des bruits de moteur sur la route de la vallée. Cette nuit de Noël est pleine de veilleurs. Je pense à l'incident de Pompon et à nos visages déconfits dans le grenier. Il n'est pas sûr que les crincrins du violon qui s'élèvent à nouveau du logis derrière nous suffisent à exorciser nos démons.

IV

La chambre

15.

Bernard a commencé, non sans mal, les travaux d'intérieur par la chambre du grenier.

Il ne voyait toujours pas, bien sûr, l'utilité de dresser des cloisons, isoler le plafond, poncer le plancher, là-haut, alors que nous disposions d'autant de pièces que nous voulions au rez-de-chaussée. C'était du travail et de la dépense inutile. Et sur le fond, il n'avait pas tort.

Mais c'était plus fort que moi. Il a cédé quand je lui ai expliqué que je ne pourrais pas dormir dans ces grandes salles aux plafonds trop hauts, qui me rappelaient les dortoirs du foyer de l'Assistance.

Je n'en ai pas été particulièrement fière. En ce début de nouvelle année secoué par des tempêtes à répétition, je dormais de nouveau très mal dans notre chambre de la venelle orientée plein ouest. Le vent, qui agitait l'abat-jour de la lampe au-dessus de la porte du dehors, me ré-

238

veillait souvent, et des images de corbeaux bousculés par les rafales me passaient dans la tête. J'ai fait ce rêve d'une petite fille qui était moi et qui marchait dans les rues de la ville illuminées par les lumières de Noël. J'étais attirée par une vitrine débordant de cadeaux au milieu desquels s'agitaient des marionnettes articulées par des systèmes électriques. J'appelais, ravie :

— Papa ! Maman ! Venez voir...

Je me retournais. J'étais toute seule. Il n'y avait personne avec moi dans la rue déserte. Je criais en vain :

— Maman !

Lorsque Bernard a annoncé à ses parents son intention de m'épouser, sa mère s'est mise à pleurer. Elle lui a dit :

— Laisse cette fille. Tu ne sais pas d'où elle vient. Qu'est-ce que faisaient ses parents ? Elle est plus jeune que toi, mais elle est plus adroite que tu crois. Ce doit être le genre de filles qui font manger les hommes dans leur main. Ce n'est pas difficile de comprendre que c'est ce que tu as qui l'intéresse. Quand elle l'aura, elle ira en plumer un autre ailleurs.

— Renée n'est pas une fille comme tu dis, maman. Ce n'est pas elle qui a fait le premier pas. C'est moi.

Son père, qui n'était pas un tendre, a été plus radical.

— Quand tu as voulu partir aux chemins de fer, Bernard, on ne s'y est pas opposé. Maintenant tu veux nous amener cette fille sans origine, qui ne possède même pas son couteau. Pas d'accord !

C'était un homme fermé. Il n'avait que ses vignes dans la tête, et l'argent qu'elles pouvaient rapporter, agrandir le patrimoine, ajouter un bout de terre à la terre. Il travaillait dur, sans arrêt. Sa mort dans ses vignes, un matin d'hiver, a été une belle mort. Il était à cent lieues de ce qu'il appelait les fantaisies de Bernard.

— Reviens sur terre ! Je parle pour toi. Réfléchis bien. Si tu décides de te marier avec elle, malgré nous, libre à toi, mais tu te débrouilleras tout seul.

— C'est bien ce que je compte faire, papa !

Bernard a peut-être eu tort de me raconter tout ça. Je me suis repliée davantage, et j'ai ruminé ça longtemps. Même Jeannette, la belle-sœur, qui avait épousé Philippe un an avant, s'en est mêlée, elle qui était déjà enceinte. Pour cette raison mes relations avec elle ont toujours été rancunières. Je n'ai jamais pu vraiment passer l'éponge. Elle est venue chez lui, un soir, grosse de sept mois, presque à terme, fière de porter l'héritier des Villebois.

— Cette histoire n'est pas sérieuse, Bernard, j'espère ! Amuse-toi un peu, si tu veux, avec elle. Mais tu ne vas pas épouser cette coucou ! (Oui, elle a employé ce mot !) Tu ne l'as pas bien regardée. Moi, j'ai vu son regard d'effrontée. Laisse-la, je te dis. Tu pourrais t'en repentir plus tard !

À force de remuer ciel et terre, et après être intervenus auprès de la direction de l'Assistance, les Villebois ont obtenu mon déplacement. J'ai été enlevée aux Paillat, à Martignac et à mon travail chez Mme Brégeon. Et j'ai été placée comme bonne chez des pharmaciens d'Angoulême, ce qui m'a valu d'être témoin du suicide de Louisette.

Le résultat a, bien sûr, été contraire à celui que les Villebois espéraient. Au lieu de nous séparer, l'éloignement, comme c'est souvent le cas, nous a rendus plus indispensables. Et après que mon amie s'est jetée par la fenêtre, j'ai obtenu, en échange de mon silence, l'autorisation du directeur de revenir à Martignac, chez maman Paillat.

Le curé Guignabert nous a mariés trois mois plus tard. J'avais seize ans. La petite église de Martignac tassée au bord de la Charente était

déserte. Il faisait froid. Il pleuvait. Les Villebois avaient fait le vide.

Le directeur de l'Assistance n'avait pas jugé
utile de se déplacer, et s'était contenté de faire porter une gerbe de fleurs. Philippe et Jeannette étaient là, malgré tout, avec la mère Villebois, qui se frottait continuellement les yeux
avec son mouchoir. Le père de Bernard, bien
sûr, n'avait pas voulu venir. Papa et maman,
heureusement, m'entouraient, avec Marcel, et
Mme Brégeon, que j'avais demandée comme
témoin, et qui m'a remerciée de l'avoir choisie. Pierre, le collègue de la ligne Angoulême-
Royan de Bernard, avait accepté d'être son témoin.

À la signature des registres, le curé Guignabert s'est tourné vers ma belle-mère, qui pleurait encore, et il a dit avec un peu d'ironie dans
la voix :

— Oh ! les larmes d'une mère… la coutume
a l'habitude de dire qu'une mère perd son fils,
lorsqu'il se marie, et qu'elle en gagne un lorsqu'elle marie sa fille…

Il s'est tourné ensuite vers moi, ses épais
sourcils blancs froncés, et il a fait semblant de
me gronder :

— Renée, tu t'efforceras de faire mentir ce
dicton !

242

Le repas a eu lieu à l'hôtel de la Gare où Bernard m'a emmenée dans sa Quatre chevaux. Il pleuvait fort. On était au mois d'octobre. Les festivités n'ont pas traîné. Pierre a tout de même voulu chanter, puis Marcel, puis papa qui a obligé maman à se lever pour entonner avec lui « Bohémienne aux grands yeux noirs ».

Nous sommes partis par la rue Froide vers le petit deux pièces que louait Bernard à Saint-Gimeux, où nous avions décidé de nous installer pour commencer.

Il a rangé sa Quatre chevaux sous les tilleuls de la place, qui perdaient leurs feuilles. On descendait deux marches pour entrer dans la cuisine creusée dans le rocher, la chambre était au-dessus. Nous avons tourné un moment dans la cuisine, en écoutant tomber la pluie. Bernard m'a servi un verre d'eau, et m'a aidée à enlever mon voile. De nombreux petits boutons de nacre fermaient ma robe dans le dos. J'aurais voulu éprouver à nouveau ce grand vide que j'avais connu au bord de la voie au passage de l'autorail, mais, allez savoir pourquoi, je ne l'ai pas ressenti ce soir-là, ni après.

J'en ai souffert, surtout pour Bernard. Il a seulement grogné, un soir où j'étais particulièrement nerveuse :

— Tu ne te détends pas. Pourquoi ne te laisses-tu pas aller ?

— C'est plus fort que moi. Je ne peux pas.

— On dirait que tu as peur. De quoi ?

— Pas de toi. Je ne sais pas. Je ne dois pas être faite pour l'amour…

— Tu dis des bêtises. Tu n'as pas confiance en moi ?

Je me suis mise à pleurer.

— Peut-être qu'il ne fallait pas qu'on se marie.

Il a essuyé mes larmes avec le drap. Il a toujours été délicat, gentil. Après le petit Maurice, il aura été ma seule histoire d'amour.

— Ça viendra, un jour, quand tu ne t'y attendras pas. Il faut avoir confiance.

Confiance, c'est un mot difficile pour moi.

« Ça » n'est pas venu. J'ai espéré que vos naissances changeraient quelque chose. Tu n'es venue au monde qu'au bout de six ans, Catherine. J'ai eu peur d'être stérile. Je pense que si « ça » s'était passé, peut-être je ne serais pas là à brasser des idées noires dans mon lit, et que ces histoires de corbeau, et tout ce qui s'ensuit, ne seraient pas arrivées. Peut-être aussi que je fais une fixation et que « ça » n'a pas une si grande importance.

Nous nous sommes donc mis à l'ouvrage à l'intérieur, dès les premiers jours de janvier. Bernard a commencé par nettoyer et poncer le parquet, en grognant. Puis, parce qu'il a une nature généreuse, il a retrouvé sa bonne humeur au fur et à mesure qu'il travaillait. Il a dressé une cloison contre l'arbalétrier du grenier.

J'ai surtout été utile à l'entretien du feu dans la cheminée. Les mois de janvier et février ont été glacés. Il faisait un froid noir sous les tuiles. J'ouvrais des ronds de lumière avec mon doigt dans le givre de la fenêtre, et j'appelais Bernard. Nous avons découvert la vallée de la Charente tout empanachée de glace.

Entretenant le feu, je renouais avec des gestes vieux comme le monde. Bernard descendait pour la pause. Je retirais du coin du foyer la casserole de vin chaud aromatisé de cannelle et d'orange. Nous nous asseyions à la table de Noël que nous avions laissée en place. Je n'ai jamais bu autant de vin chaud que pendant ces deux mois d'hiver. Je m'inventais l'excuse d'en réduire le degré en le faisant flamber. L'alcool aide à atténuer nos angoisses.

Au mois de mars, les agents d'EDF ont changé les compteurs. J'ai profité de leur présence

245

pour aller faire des commissions au supermarché, me suis arrêtée au retour chez maman Paillat, qui s'ennuierait toute seule dans sa maisonnette sans la lecture qu'elle a découverte après la mort de papa. Tout ce qui passe à portée de ses lunettes est bon. Les voisins lui apportent le journal.

Elle reconnaît que, si elle n'avait pas dû quitter l'école à douze ans pour tirer des bois dans les vignes, elle aurait aimé faire des études.

— Bah ! dit-elle fataliste, c'était comme ça. Il fallait bien que j'aide mes parents à élever les huit petits qui venaient après moi. Il en tombait un tous les ans, « comme un cadeau du bon Dieu », disait maman.

Elle a continué la tradition familiale en faisant le voyage avec papa pour venir me prendre à l'Assistance. « Tu nous as tendu les bras lorsque nous sommes passés devant ton berceau, a-t-elle raconté souvent, et c'est comme ça qu'on t'a choisie. »

Elle prend le pot de miel que je lui ai apporté, et vérifie qu'il s'agit bien de miel d'acacia, sa gourmandise. Il ne lui en faudrait pas. Le diabète la mine. Elle s'en autorise une cuillerée à café par jour, contre l'avis du médecin. Son grand-père élevait des abeilles. Elle m'a amenée dans la clairière des bois d'Armel où il avait ses ruches. « Il récoltait là-bas un miel de bocage que je n'ai pas trouvé ailleurs. Je l'accompagnais, avec la remorque et la lessiveuse pour recueillir le miel. » Quand elle plonge sa cuiller dans le pot, elle voyage vers les saveurs de son enfance.

Je fais comme elle, quand je viens à la maisonnette. Je remets un peu d'ordre, donne un coup de balai, passe le chiffon dans la chambre. Et tandis qu'elle m'informe des nouvelles, ou me parle du roman qu'elle vient de lire, je redeviens petite fille.

Elle me crie, joyeuse, alors que j'ai ouvert les portes de son armoire pour y ranger le linge que j'ai lavé et repassé :

— Décidément, c'est un bon jour aujourd'hui. Voilà une autre visite !

J'entends claquer une portière. Bernard entre peu après, bruyant, pressé. Son arrivée imprévue me surprend, mais il ne me dit rien. Il essaie de plaisanter avec maman et me propose de m'emmener à Jarnac où il va chercher du matériel pour les agents d'EDF. En temps normal, dans ces cas-là, ma présence l'embarrasse plutôt. Et d'ailleurs, ne sont-ils pas assez grands pour faire leurs commissions tout seuls ? Je laisse ma voiture devant la maisonnette, et l'accompagne, malgré tout.

Je suis convaincue qu'il y a quelque chose qu'il n'arrive pas à me dire, et je l'interroge.

— Qu'est-ce qui se passe ?

Il ne me répond pas.

— Tu n'es pas venu me chercher chez maman, comme ça !

— Attends un peu, tout à l'heure…

Nous faisons le reste de la route en silence.

Il redevient bavard dans le magasin avec les vendeurs. Il met beaucoup de temps, comme s'il le faisait exprès. Je le bouscule, m'énerve :

— Dépêche-toi ! Tu as vu l'heure ? Mon déjeuner n'est pas prêt.

Nous sortons dans le soleil qui éclabousse la verrière voisine de la jardinerie. Bernard traîne encore, esquisse quelques pas vers les buis en pots qui nous intéressent, c'est vrai, pour le parc. Je le tire en arrière.

— Nous reviendrons une autre fois !

Nous remontons dans la voiture.

Il se laisse tomber sur le siège. Et en refermant la portière :

— Rabier a reçu un coup de téléphone anonyme l'avertissant qu'une bombe a été placée dans le logis.

— Qu'est-ce que tu dis ?

Ma figure se vide de son sang. Je pense en même temps : « Enfin ! Voilà, c'est reparti ! »

Ce long temps d'attente, sans drame, me pesait. Je souhaitais que quelque chose se passe. On n'habitera peut-être jamais le logis. Comment Bernard a-t-il eu assez de force pour garder ça pour lui jusqu'à maintenant ?

— Depuis quand le sais-tu ?

— Rabier m'a appelé sitôt ton départ. Les gendarmes ont évacué le village. Une équipe de la gendarmerie de Rouillac est venue les aider à fouiller le logis.

— Et ils ont trouvé quelque chose ?

— Je ne sais pas.

— C'est pour ça que tu m'as éloignée ici ?

— Rabier est persuadé qu'il s'agit d'une mauvaise blague.

J'imagine, avec un frisson, les barrages sur les routes, et les commentaires des gens après ce nouvel épisode de notre feuilleton. Un client du magasin, que je reconnais vaguement, démarre lentement, et nous regarde, peut-être déjà informé. Je n'ose pas demander s'il y a une lettre du corbeau. Je serre les bras sur ma poitrine pour ne pas trembler.

Le soleil cogne contre le pare-brise. Je baisse ma vitre pour nous donner de l'air.

— Je n'ai pas pu garder ça plus longtemps pour moi, s'excuse Bernard en se frottant la barbe.

— Tu as eu tort de le garder si longtemps. Je savais que quelque chose n'allait pas.

— Je t'ai cherchée à Châteauneuf, je suis passé partout.

— Tu ne voulais pas que je voie ça… C'est bizarre, je n'ai rien entendu de chez maman.

— Il faut y aller maintenant. Si c'est un canular, ils doivent avoir fini.

Canular ou réalité, des nausées me soulèvent le cœur. Je demande à Bernard de s'arrêter. Un couple taille tout près dans les vignes. Je me précipite derrière la haie.

Je reviens aussi vite vers la voiture, avant que Bernard m'ait rejointe.

— Démarre. Ça ira.

Il se penche et me montre dans le ciel un hélicoptère bleu de la gendarmerie. Les coups sourds des pales froissent l'air. L'appareil glisse en vrombissant et s'éloigne comme une feuille emportée par le vent.

Le barrage est levé au bas de la côte de Tourtras. Les murs du logis resplendissent au sommet de la colline. Un fourgon de gendarmerie descend. Bernard lui fait signe de s'arrêter et s'adresse au chauffeur, la vitre baissée.

— Il n'y a rien, dit l'homme en portant la main à son képi. Fausse alerte. Vous pouvez monter.

Nous croisons au ralenti, dans l'entrée du village, la voiture des voisins Jollit qui nous adressent des signes de tête embarrassés. Rabier, accompagné de Philippe, accourt vers nous.

— Nous n'avons rien trouvé. C'est un canular, comme il s'en produit désormais malheureusement souvent.

Jeannette, le père Compain avec Pilule, s'approchent, et des jeunes voisins et voisines des constructions neuves, l'infirmière brune du soir de l'incendie. Le chef sort de sa poche un paquet de cigarillos, en offre autour de lui, et Bernard, qui ne fume plus, accepte.

Le gendarme lui tend la flamme de son briquet, et nous entraîne un peu à l'écart.

— Avez-vous reconnu la voix de l'individu ?

— Oh ! au téléphone… Il peut l'avoir changée. C'est moi qui ai pris la communication. C'est possible que ce soit votre corbeau, mais c'est curieux, il n'a pas laissé de lettre. Ça peut être quelqu'un des alentours, un jeune, ou un vieux, pour nous embêter, et vous aussi. Il a réussi. En tout cas nous saurons très vite d'où il nous a appelés.

Il mordille son cigare, regarde entre ses pieds. Les sillons entre ses sourcils se creusent.

— C'était probablement la voix d'un homme, mais je n'en suis pas sûr. Quelqu'un d'informé, parce qu'il a dit : « Le logis de la fille de Boche à Tourtras va sauter. » Ce qui ne prouve rien. On a tellement parlé de ces lettres du corbeau qu'elles ont pu donner l'idée de s'amuser à un autre dérangé.

Il tend une main compatissante vers mon épaule. Je me dérobe et la colère m'emporte.

— On n'en peut plus, chef ! Ça suffit ! À part nous plaindre, les services de la gendarmerie ne se sont pas montrés capables de grand-chose !

Le chef soupire, et regarde derrière lui, redoutant les oreilles indiscrètes. Je continue :

— Qu'est-ce qu'on devient nous, là-dedans ? Vous ne voyez pas qu'on va devenir fous !

Je sais que, derrière nous, les voisins entendent, et se taisent. Je me tourne vers eux et les prends à témoins.

— Je ne comprends pas ce qu'attend la gendarmerie pour s'occuper sérieusement de cette affaire ! Qu'il y ait un mort ? C'est un miracle que ça ne soit pas déjà arrivé !

— Je fais ce que me dit le procureur, qui se tient informé tous les jours, se défend Rabier. Une histoire de corbeau n'est pas aussi simple que vous croyez, madame Villebois.

— Lorsque la police s'en donne les moyens,

252

elle trouve ! Vous n'avez pas encore identifié d'où vient l'appel de ce détraqué ce matin !

— On l'identifiera, donnez-nous un peu de temps.

— On n'a plus le temps ! On a trop attendu. Vous voulez que je vous dise ? Je n'ai plus confiance !

— Calme-toi, me murmure Bernard.

Je reprends mon souffle, sur le point de crier encore. J'ai retrouvé de l'aplomb au cours de ces semaines, depuis le voyage en Allemagne. Rabier baisse la tête, et regarde ses pieds. Je crois qu'il essayait d'être notre ami. Je me tais. La tête me tourne.

Bernard tire nerveusement sur son cigare.

— Nous savons que vous êtes un homme honnête, chef Rabier. Mais ça ne suffit plus. Vous devez comprendre que ce n'est plus possible !

Rabier hoche la tête, enlève son cigare, et le jette dans l'herbe. Les pleurs me piquent les yeux. Je me tourne vers le logis, intact, dans le ciel bleu. Le pigeonnier dresse son donjon à côté. Je pense aux Duval protestants qui ont émigré avec leur baluchon pour fuir les persécutions. Nous n'émigrerons pas.

Je regarde mon beau-frère, ma belle-sœur, et les gens du village. J'ai envie de leur crier à tous de venir à notre secours, nous ne céderons pas. Je ravale mes larmes.

— Rentrez chez vous, les prie Rabier.

Philippe et Jeannette hésitent à nous accompagner. Bernard leur fait signe de nous laisser. Nous prenons l'allée qui conduit au logis.

— N'ayez pas peur, murmure Rabier. Il n'y a pas de risque.

La voiture d'un gradé à barrette de la gendarmerie est encore là.

— On va mettre davantage d'hommes, nous assure-t-il, compatissant. Je vous appellerai cet après-midi, Rabier. Une porte, au fond de votre jardin, communique avec le village, ajoute-t-il. Personne n'y est passé depuis longtemps. Vous feriez bien, quand même, d'y fixer des verrous.

Nous entrons dans notre logis. Même les cendres de la cheminée ont été fouillées. Je monte l'escalier de la chambre où rien n'a bougé. Mais j'y relève des empreintes de souliers qui vont vers le grenier. Je respire un relent de caserne, et j'ouvre la fenêtre. J'agite le battant pour donner de l'air. Un cri étrange nous fait sursauter, pas exactement un cri, plutôt un crachement comme d'un chat prêt à bondir. Je pense à Pompon.

Bernard, qui a compris, porte son doigt à ses

lèvres et s'approche de la porte du grenier, ouvre.

Le chat-huant est là, sur la poutre de la charpente. Il dresse ses oreilles, son plumage tacheté frissonne. Ses yeux à l'éclat orange nous fixent. Il écarte ses ailes fauves, comme s'il roulait des épaules, et crache pour nous impressionner. Il a regagné le territoire d'où l'avaient chassé nos travaux et l'incendie.

— S'il est revenu, c'est qu'il n'a plus à craindre, me chuchote Bernard.

Il referme doucement la porte.

— Il est aussi bête que nous ! dis-je, pas convaincue.

— On doit se raccrocher à quelque chose, si on veut continuer...

Rabier nous attend sous le magnolia, en bas.

— Il n'y a plus que moi, dit-il. Voilà...

Il balaie la cour de ses grands bras vides.

— Ils sont tous partis.

Le soleil étincelle sur les vitres de la marquise. De fragiles petites mains vertes se tendent sur les branches du magnolia dépouillées par le feu. Rabier fouille dans la poche de sa vareuse, en sort sa boîte de cigares. Bernard le tire par la manche.

— Venez par là, que je vous montre quelque chose...

Nous sortons de l'ombre de l'arbre, descendons vers la terrasse, longeons le mur d'enceinte du parc jusqu'à l'énorme pied de sureau dont Bernard écarte les branches.

— Vos gendarmes sont venus jusque-là, c'est bien…

L'herbe est pilée. Les racines de l'arbre s'enfoncent entre des moellons anciens recouverts de lierre qu'elles ont écartés.

— Voyez-vous ce qu'il y avait là, avant ?

Rabier hausse les épaules et ne répond pas, à l'évidence mal à l'aise depuis mon intervention véhémente.

— Une échauguette, dit Bernard. Autrefois un homme montait la garde, là, avec son arquebuse ou son arbalète. Il surveillait la rivière et le chemin sur la vallée. Regardez…

Il invite le gendarme à se baisser et le place face à la meurtrière.

— Vous voyez le fourgon bleu de la gendarmerie, sur la route ? On aperçoit la Charente par-derrière… Rabier acquiesce.

— Alors, écoutez-moi bien, chef. Nous allons monter la garde à notre tour. Et si on nous attaque, nous nous défendrons.

— Ne faites pas de bêtises.

— Nous ne nous laisserons pas tirer comme des lapins !

Ce soir-là, la grande infirmière brune des maisons neuves, Mme Perrochon, frappe à notre porte alors que la nuit est tombée. Elle hésite à entrer, mal à l'aise, les bras croisés, s'excuse :

— Pardonnez-moi de vous embêter un jour comme aujourd'hui...

Elle ne veut pas s'asseoir sur le canapé dans notre petit salon de la télé, et finit par accepter une chaise à la table de la cuisine. Elle regarde en parlant vos photos, Catherine et Jacques, sur la crédence du buffet.

— J'ai vu à quel point vous étiez choquée, ce matin, madame Villebois. Je vous comprends. Ce n'est pas possible que cela continue, et que nous restions là sans rien faire, nous, les habitants de Tourtras.

J'ose lui répondre, je suis assise en face d'elle :

— C'est bien ce que j'ai pensé.

Ma réponse franche ne la blesse pas. Elle sourit. Elle a un beau regard marron, honnête, comme je les aime, un visage ferme, un menton à fossette.

— Alors justement, dit-elle, j'ai pensé que nous pourrions essayer de vous aider, et aider la police.

— Comment ?

— Notre maison est la deuxième à l'entrée du village. Je suis allée chez nos voisins avant de venir chez vous. Nous serions d'accord pour surveiller tout ce qui entre et sort, relever les numéros, les couleurs des véhicules…

— Ce n'est pas une mauvaise idée.

— Mais il faudrait que tous les habitants de Tourtras s'y mettent. Si vous êtes d'accord, je suis prête à entreprendre la tournée des maisons pour leur faire la proposition. Nous pourrions nous réunir tous les soirs, en une sorte de conseil de village, pour rassembler nos informations, et les communiquer à la gendarmerie…

Elle parle direct. Elle n'est pas du genre à délirer et s'imaginer que son initiative résoudra tous les problèmes.

— C'est une petite goutte d'eau, dit-elle en s'excusant de ne pas pouvoir davantage.

Elle connaît la misère des autres, et fait ce qu'elle peut. Et quand Bernard lui dit :

— Mais il y a la nuit. Vous ne monterez pas la garde nuit et jour !

Elle convient :

— Si on surveille le jour, vous serez au moins tranquille la moitié du temps.

Je lui fais remarquer qu'il est étonnant que

cette proposition vienne d'elle, qui n'est à Tour-tras que depuis quelques mois. L'idée aurait dû venir des vieux habitants du village.

— Ils vous connaissent sans doute trop. Ils n'osent pas…

Je lui offre un café. Elle ne veut rien prendre.

— Je commence ma tournée. Je veux faire toutes les maisons ce soir. Tant pis pour ceux qui ne voudront pas !

Elle se lève. Sa chevelure brune naturelle est abondante. Cette femme est belle, elle respire la vie.

— Je compte sur vous, bien sûr, pour nos conseils de village, dit-elle. Les premiers se passeront sans doute chez nous.

— Nous viendrons.

Elle disparaît vite dans le noir. Nous restons sur le seuil, sous la lumière de la porte, écoutant ses pas s'éloigner sur les cailloux de la venelle. Le fardeau est un peu moins lourd sur nos épaules.

16.

Mme Brégeon, informée de ce qui s'était passé, est arrivée chez nous, quant à elle, le lendemain matin, au volant de sa vieille Aronde aux jantes peintes en blanc. Je lui avais dit que je voulais acheter un lit pour la chambre et que je ferais volontiers en sa compagnie la tournée des antiquaires, et elle a prétexté ce motif. Mais j'ai compris qu'elle venait d'abord aux nouvelles.

Elle a insisté pour m'emmener dans une virée de boutiques dont elle a le secret afin de me distraire. J'ai abandonné Bernard aux gendarmes qui devaient revenir. Le coup de téléphone avait été localisé dans une cabine de Cognac, place François Ier. Je suis montée dans la voiture de la vieille dame à la peau tachée d'éphélides.

Nous avons trouvé un lit de style Louis XV, à la tapisserie adroitement restaurée, et j'ai été tentée. Mes pharmaciens d'Angoulême, dont je changeais autrefois les draps, dormaient dans un lit semblable. Mme Brégeon reprochait aux clous de faire un peu trop neuf, trop brillant. Le meuble était cependant à son goût.

Je n'ai pu m'empêcher, chez l'antiquaire du Plainaud, de passer dans la salle de bouquiniste du fond, pour regarder les gros livres noirs des *Époques de la Nature* de M. le comte de Buffon, et la ressemblance des lettres avec les caractères du corbeau m'a de nouveau bouleversée.

Nous sommes allées à Jonzac, Archiac. Mme Brégeon négligeait souvent de changer de vitesse, et l'Aronde piochait pour gravir les côtes de la Grande Champagne. Nous avons passé une bonne journée. Nous avons déjeuné à l'auberge de l'église, à Barbezieux, et avons débattu de la place du lit dans notre chambre. Mme Brégeon assurait qu'on dort mieux la tête tournée vers le nord.

— Pourquoi ne mettriez-vous pas le lit au milieu ? Comme ça vous pourrez le tourner comme vous voudrez et l'orienter à votre goût ?

La fière cité de Barbezieux n'est plus ce qu'elle était. On dirait que le bonheur a fui. Les grilles des parcs ne s'ouvrent plus pour les jeunes filles des « Destinées sentimentales » en robes de bal roses rayées de blanc. Les jeunes gens ne jouent plus au croquet sur les pelouses parmi les massifs d'hortensias. Le crin des palmiers tombe en guenille dans les cours abandonnées. Les chaudières sont vides, et les cheminées des brûleries ne fument guère. Les Anglais, les Suédois, les Hollandais, les Russes, qui fréquentaient les chais et les grandes maisons de la ville sont partis. Sur la nationale 10, détournée du centre, les files de poids lourds sont désormais de plus en plus denses.

Tout est arrivé le jour où l'antiquaire nous a livré le lit, au début de l'après-midi. Et cette fois-là, mon sixième sens n'a pas fonctionné, du moins pas assez vite, et je m'en veux encore. Les conseils de village de Francine Perrochon se réunissaient, avec quelques absents notables, mais ils ont été sans effet.

On était le 9 avril. Nous avons tous cette date gravée dans la mémoire. Des rafales de vent de sud secouaient les têtes des peupliers dans la vallée, un vent rare chez nous en cette saison, qui chassait les nuages et faisait luire le bleu du ciel, un vent qui énerve, et je lui attribue une part de la responsabilité de ce qui est arrivé.

Nous avions aidé l'antiquaire à monter le lit

sur le plancher merveilleusement remis en état par Bernard, raboté, vitrifié, d'une magnifique blondeur de miel. J'avais même imaginé, un moment, que nous pourrions dormir dans la chambre le soir même. Je crois que je l'aurais obtenu. Les travaux de l'étage n'étaient pas terminés. Bernard travaillait à transformer la chambre froide de la grand-tante, à mi-étage, en salle de bains.

Quand l'antiquaire a été parti, je suis retournée à la plate-bande de rosiers que je grattais devant la grille du logis, un foulard sur les oreilles pour les protéger des coups de boutoir du vent. J'utilisais une bêche à lame plate d'un côté et deux dents de l'autre. Il était trois heures de l'après-midi. Les buis de l'allée exhalaient au soleil une odeur de pipi de chat. J'ai enlevé mon gilet et l'ai posé en boule au bord du parterre lorsque Bernard est descendu de la salle de bains et m'a dit qu'il allait chercher des joints au magasin de bricolage.

Je ne sais pourquoi, je lui ai dit :

— Tu as besoin de partir pour si peu, avec le vent qu'il fait ?

Il m'a demandé, agacé, parce qu'il voyait que j'avais quelque chose :

— Quoi, le vent ? Qu'est-ce que tu as ? Tu n'es pas contente du lit ?

Au contraire, il me paraissait superbe. Je prévoyais d'aller chercher mes draps parfumés à la lavande et de faire notre lit dès que j'aurais fini de bêcher le parterre. J'ai continué de bêcher, refusant d'écouter les battements inquiets de mon cœur. Bernard a hésité à ajouter quelque chose, et puis s'est décidé, s'en est allé.

Je me suis redressée pour le voir disparaître, boitillant de sa jambe accidentée, en bras de chemise, la veste sur l'épaule. J'ai entendu démarrer sa voiture, et j'ai suivi entre deux rafales le ronronnement régulier du moteur qui s'éloignait.

Mon cœur a retrouvé sa tranquillité. Mais avec le recul maintenant, je suis sûre que, pendant tout ce temps, j'ai travaillé en retenant mon souffle.

J'ai lancé tout de suite ma bêche dans le parterre quand le vent m'a fait entendre les sirènes de l'ambulance et des pompiers sur la route.

Je me suis mise à courir au pin-pon d'un troisième véhicule de secours qui arrivait : « Mon Dieu, il faut que ce soit grave ! »

Je me suis retournée machinalement en franchissant le porche grand ouvert, et me suis figée, le sang glacé : une lettre avait été glissée sous le marteau de la main de fatma ! Elle est bien du corbeau. Mes doigts tremblent pour l'ouvrir, mais je sais qu'on y a écrit : *Celui qui combat par l'épée périra par l'épée, fille de Boche.*

Les sirènes, qui lancent leur appel de détresse dans la vallée, me secouent. Je recommence à courir.

J'entends quelqu'un gémir, et m'aperçois que c'est moi. Le père Compain lève sa canne au bout de la rue et me crie :

— Qu'est-ce qui te fait courir, Renée ?

J'arrive enfin à notre venelle, à bout d'haleine, en nage, démarre ma Twingo comme une folle, arrachant des cailloux de la cour avec mes pneus. Je palpe dans ma poche. La lettre du corbeau est bien là, je n'ai pas rêvé. Je traverse le vieux village, le village neuf, tourne vers la descente où je lance ma voiture.

Bernard n'est pas allé bien loin. Je m'en rends compte sitôt passé la première courbe où je freine brutalement, et cale mon moteur.

Il y a là, à mi-côte, sur la gauche, une source qui donne dans l'œil d'une fontaine et se déverse par une canalisation sous la route qu'elle traverse pour s'écouler à flanc de coteau. Une esplanade pour deux ou trois voitures a été aménagée sur la droite. Les sureaux ont été coupés, dégageant la vue sur les vignes et la Charente. Mon Bernard est passé là des milliers de fois en jetant un œil distrait sur la vallée.

Cette fois il a foncé tout droit dans la trouée. On dirait qu'il a été happé. Il n'y a pas une trace de frein. Il a plongé dans le contrebas de sept ou huit mètres, et a continué de dégringoler en faisant sans doute des tonneaux. On suit sa trajectoire à travers la plantation de jeunes vignes. Les piquets sont fauchés.

D'où je suis, je reconnais l'amas de tôles broyées de sa voiture bleue, les roues en l'air, à quelques mètres de la route du bas. Les gyrophares des véhicules de pompiers et de gendarmerie provoquent sur la route un embouteillage. Je ne suis pas encore sûre que ce soit lui. Je prie :

— Faites que ce ne soit pas lui !

Sans ce doute, je redémarrerais et j'appuierais sur l'accélérateur pour lancer ma voiture dans le ravin derrière lui.

— Mon Dieu !

Je pense : C'est ma faute. C'est moi qui l'ai poussé sans cesse à continuer. Les lettres me sont adressées. Je devrais être à sa place.

Je n'ai pas vu arriver la voiture qui s'est arrêtée à droite, près de la source. Quelqu'un frappe contre ma vitre : Rabier. Il n'a pas besoin de parler. Ses épaules tombantes, son regard, me disent : Renée, il faut que vous soyez courageuse !

Je hurle.

Je me sens comme une coque vide. Je n'ai pas la force de bouger. En même temps je vois avec une netteté surprenante les hommes aller et venir en bas autour des restes du véhicule. Un soleil incroyable m'éblouit. Le vent qui a forci secoue ma voiture. Je demande :

— Où est-il ?

— À l'intérieur. Ils n'arrivent pas à le sortir.

Rabier ouvre doucement ma portière.

— Mettez le frein à main.

Mon pied enfonce en effet et relâche la pédale du frein. Ma voiture avance dangereusement au bord du vide. Rabier se penche au-dessus de moi, empoigne le levier et le serre. Il marche jusqu'au bord de l'esplanade, revient en se mordant la lèvre.

— Comment a-t-il pu ?... Il est allé tout droit. Quelque chose l'a-t-il distrait ? Est-ce que quelqu'un venait en face et l'a obligé à donner un coup de volant ? Mais alors il aurait freiné...

Je n'ai pas bougé de mon siège, les doigts serrés sur le volant, comme la statue du désespoir. Je secoue la tête, et finis par dire :

— Ce n'est pas le hasard…

Je cherche dans ma poche la lettre du corbeau.

— Pas possible ! Quand l'avez-vous trouvée ?

— Tout à l'heure, lorsque j'ai entendu les sirènes.

— Il aurait saboté la voiture…

Je gémis. J'ai en même temps l'impression d'être sur le point de résoudre une énigme qui se refuse encore.

Je tourne la clé de contact.

— Si vous voulez je vais vous emmener, me propose Rabier. La route est encombrée. Ce n'est pas facile d'approcher.

— Est-ce qu'il est vivant ?

Il hausse les épaules.

— Il est prisonnier de la tôle, inanimé. Ça peut être long. Il faut d'abord le désincarcérer.

Le mot horrible me fait mal. Rabier ne bouge pas de ma portière ouverte, comme s'il voulait m'empêcher de partir. Je démarre lentement. Il ferme ma porte à regret.

Tandis que je commence à descendre, la réponse qui se refusait s'éclaire, un souvenir me revient, une vision. Comment n'ai-je pas fait le rapprochement plus tôt ? L'aménagement de notre chambre et de la maison me distrayait.

Il y a quinze jours, à la boulangerie de Châteauneuf, j'attendais mon tour dans la file devant la vitrine des pâtisseries. La petite vendeuse allait et venait derrière le comptoir, le décolleté ouvert sur ses seins ronds. À cause de cela sans doute le grand Fernand Labrousse m'a enfoncé son cabas dans les côtes. Je me suis retournée.

Et c'est à ce moment-là que j'ai vu manœuvrer, dehors, une fourgonnette blanche qui se garait au ras des poteaux de métal plantés au bord de la rue pour interdire le stationnement dans la descente. J'ai pensé : « Celui-là est encore pressé. Il ne peut pas faire cinquante mètres à pied pour prendre son pain. » La porte arrière de la fourgonnette portait l'inscription *Express*. Un homme est descendu, que je n'ai pas reconnu d'abord, tellement il était maigre. Le teint de cire à faire peur, les joues creuses et le nez pincé, il avait enfoncé une casquette profond sur sa tête. J'ai demandé à Fernand Labrousse qui parlait avec son voisin :

— Qui est ce cadavre qui vient de descendre de voiture ?

Il s'est retourné, et m'a répondu sur le même ton.

— Vous ne le reconnaissez pas ? C'est Nor-

269

bert Mauvoisin. Le pauvre ! On se demande comment il peut encore marcher. Il a perdu tous ses cheveux.

Norbert Mauvoisin ne venait pas à la boulangerie. Il s'est dirigé vers la maison de la presse. La vendeuse m'a demandé ce que je désirais.

Je revois l'aluminium des caractères *Express* sur la porte droite arrière de la fourgonnette blanche. J'entends la voix de Fernand Labrousse : « Il a perdu tous ses cheveux. » Je rapproche cet homme du signalement donné par les témoins, la nuit de l'incendie. « Un homme aux longs cheveux de rocker sous une casquette. »

Bien sûr, il avait mis une perruque ! Il dissimulait les effets de la chimio, et se cachait. C'est Mauvoisin, le corbeau ! Ça ne peut être que lui !

J'aurais dû me fier à mon premier mouvement. J'ai eu pitié parce qu'il était malade. Je n'en ai parlé ni à Bernard, ni à Rabier, parce que j'ai voulu cacher la sale histoire dont Mauvoisin s'est rendu coupable alors que Bernard avait commencé à me fréquenter. J'ai probablement causé la mort de Bernard en gardant le silence.

Je rejoins la route du bas. Les véhicules de secours avec leurs gyrophares sont stationnés à cent mètres. Une file de voyeurs s'est rangée sur le bas-côté. Un bouchon s'est formé qui bloque la circulation. Je stationne sur le bas-côté et je descends de ma voiture. Je n'ai pas conscience de marcher sur la route. Je vois des gens se retourner. Leurs regards me fuient. Je comprends qu'ils se murmurent : « C'est elle. C'est sa femme. » Quelqu'un marche à côté de moi : Rabier. Il demande aux pompiers, dont le véhicule bloque le passage, de me laisser passer. Le vent miaule à mes oreilles. Je vais jusqu'à la voiture. J'aperçois à peine Bernard parmi les tôles broyées et les coussins des sièges. J'entends :

— Il a pu être protégé par l'airbag.

Je vois de grandes cisailles, des disques qui scient la tôle. On m'emmène m'asseoir dans un fourgon. Ils l'extirpent. Il est vivant, inanimé, mais vivant. Je le découvre, ensanglanté, les yeux fermés. Le cœur me fait mal. Ils le montent dans leur véhicule. Ils vont l'emmener à l'hôpital. Francine Perrochon se retrouve à côté de moi.

— Si vous voulez, je vous accompagne. Je vais avec vous à l'hôpital.

— Mais avec ma voiture !

J'insiste pour que ce soit avec la mienne. Nous arrivons à l'hôpital de Girac. Un médecin en blouse blanche m'annonce que mon mari a recouvré ses esprits. C'est un miracle qu'il s'en tire comme ça. Il a été sonné, comme un boxeur KO sur le ring. Il a le corps, et particulièrement le visage, couvert de contusions. Mais il n'a apparemment rien de grave. Je vais enfin le voir. On me conduit dans une chambre. Il me paraît plus abîmé qu'on ne me le dit, la figure bouffie, couturée, peinturée de rouge. Je gémis.

— Calmez-vous. Ce ne sont que des égratignures.

Nous nous tenons par la main.

— Ils ont rasé ta moustache !

— Pour me soigner, elle repoussera !

Il me sourit.

— J'ai mal un peu partout, comme si on m'avait roué de coups.

— C'est exactement ça.

Sa poitrine surtout le fait souffrir. L'airbag en est probablement responsable.

— J'ai bien cru que j'allais mourir, grimace-t-il, la figure déformée.

— Et moi, j'ai bien cru que tu étais mort.

— Tu vois, l'heure n'était pas venue.

— Je ne te laisserai plus partir…

Je ne voudrais pas pleurer, mais c'est plus fort que moi, mes larmes coulent comme à une Madeleine.

Les infirmiers me l'enlèvent pour des examens complémentaires. Ils en ont, disent-ils, pour la soirée. De toute façon, ils le garderont en observation le lendemain. Je ne veux pas m'en aller. Francine Perrochon profite d'une occasion pour rentrer chez elle dans la voiture d'une infirmière qui a fini son service. Je vais attendre dans la chambre le retour de Bernard.

Je pense à Norbert Mauvoisin. Il est six heures. L'infirmier que j'interroge dans le couloir me confirme que Bernard ne reviendra probablement pas avant deux heures. Je regarde ma montre. J'ai le temps d'aller à Crazac et de revenir, si je vais assez vite. Depuis que je suis toute seule dans cette chambre sans lit d'hôpital, l'envie de voir Mauvoisin en face de moi, et de lui parler les yeux dans les yeux, avant tout le monde, devient une obsession.

Je me décide, et me précipite vers l'ascenseur. Ma Twingo est sur le parking, où Francine l'a rangée.

On dirait que le vent a encore forci. Les branches des acacias de l'hôpital craquent. Le soleil étincelle dans le ciel de cristal. Je quitte la nationale 10 en poussant un hurlement de bête. Les images défilent et se mêlent : Bernard remontant le parc la veste sur l'épaule, que je n'ai pas rappelé pour l'empêcher de partir, le tas de ferraille de l'auto, les flammes de l'incendie, Mauvoisin traversant la rue. J'ai mal partout. On dirait qu'on m'enfonce des aiguilles dans les bras, dans les jambes. La haine qui m'étouffe m'aide à conduire. Je veux hurler à mon bourreau que Bernard est vivant, qu'il n'a pas gagné.

J'accélère. Une voiture, qui surgit d'un virage en face, me klaxonne parce que je roulais à gauche. Je donne un brutal coup de volant. Je n'ai pas peur de mourir. Je suis une pierre qui va. Je traverse les villages comme une folle, parce qu'il m'a rendue folle. La lumière du soleil me brûle les yeux. Je pense que mes lunettes de soleil sont dans la poche de ma blouse à la maison.

Je regarde ma montre. Je roule déjà depuis vingt minutes. Il me faudra plus d'une heure pour l'aller et le retour. Et tous ces croisements au milieu des vignes se ressemblent. Une rafale de vent engouffrée dans une allée de platanes qui brassent leur marée de branches déporte ma voiture. Je ralentis, m'amollis. J'éprouve du remords d'être partie. Que pensera Bernard, s'il ne me trouve pas, à son retour dans sa chambre ? Je freine, décidée à faire demi-tour au prochain croisement. Un panneau indique « Crazac, 8 km ». Je regarde ma montre. J'ai le temps.

J'entre dans le bourg de Crazac désert, m'arrête sur la place de l'église. Un tracteur passe, les fers d'une charrue à l'arrière. En face, la porte du magasin Économique est fermée.

Je traverse comme une somnambule en direction du porche à créneaux des Mauvoisin. Sa porte est pourvue d'un heurtoir presque semblable au nôtre. Mes premiers coups précipités ne suscitent pas d'écho, je frappe plus fort, agite en vain le loquet. Je crois bien que de son magasin la bonne femme de l'Économique m'observe.

J'entends du mouvement derrière le portail, l'aboiement rauque d'un chien en course sur les graviers. Le grondement du vent m'apporte enfin une voix de femme qui me demande, de loin :

— Qui est là ?

Je crie :

— Je voudrais voir Norbert Mauvoisin.

Le chien renifle derrière la porte et aboie de plus belle.

— Couché !

On tire les verrous, un, deux. Le loquet se soulève. Une grosse femme en blouse, à l'allure paysanne, glisse la tête. Je force le passage.

Le chien, auprès d'elle, est le doberman que j'ai aperçu au bout d'une chaîne à ma première visite. Sa gueule bave. Je sens que si j'ose un pas de plus, il se jette sur moi.

— Qu'est-ce que vous voulez ?

Le vent plaque sa robe sur ses jambes.

— Mauvoisin, où es-tu ? Mauvoisin, montre-toi !

Une fenêtre s'ouvre à l'étage de la grande maison charentaise.

— Qu'est-ce que tu fais là ?

Le vent porte si bien sa voix qu'on dirait qu'il me parle à l'oreille. Je crie à contre-vent.

— La fille de Boche est venue te voir !

— Couché ! ordonne Mauvoisin, d'en haut, au chien qui ploie l'échine et s'éloigne en grognant. Et à la femme :

— Marie, laissez-la entrer !

Je me précipite vers les marches de la terrasse, pousse au hasard la porte centrale de la maison, m'élance dans l'escalier de pierre du corridor.

Norbert Mauvoisin s'avance vers moi en haut, appuyé sur des cannes anglaises. Je ne peux retenir un mouvement de recul et un haut-le-cœur. Le gris de la mort marque chacun des traits de cet homme sous sa casquette. La maladie ne lui a laissé que la peau et les os.

Je ne suis pas aussi solide que je le croyais. Je doute, l'espace d'un éclair : et si je m'étais trompée ? Mais non, c'est lui, j'en suis sûre.

— Pourquoi t'acharnes-tu sur nous ? Pourquoi te venges-tu sur Bernard ?

La flamme de son regard fiévreux s'attarde sur moi. Je frissonne, mais je ne veux pas qu'il voie que je tremble.

— Te voilà, enfin…, dit-il, moqueur. Tu y as mis le temps !

Je me raidis, et pense à Bernard dans sa voiture broyée.

— Oui, c'est moi !

Il se recule contre le mur, me montre la porte fermée au fond du couloir.

— Tu viens au bon moment, ma femme est sortie.

— Réponds-moi ! Pourquoi as-tu voulu tuer Bernard ?

Il passe devant moi, je respire son odeur qui me soulève le cœur, il tourne la poignée. La lumière qui ruisselle dans la petite pièce carrée tout en fenêtres m'aveugle.

— Je reviens, dit-il.

Il passe dans la chambre à côté où je l'entends remuer des objets. Je sursaute à un cliquetis de métal, mais il réapparaît, avec ses cannes. Je devine à son regard qu'il a compris ma peur, et qu'il en jouit. Il a enlevé sa robe de chambre, et il paraît encore plus maigre.

— Je viens souvent ici, je vois tout ce qui se passe. J'étais là, quand tu as frappé.

Il désigne le battant de la fenêtre bloqué contre la crémone, par où le vent feule.

— Assieds-toi, me dit-il, en désignant les coussins avachis d'une banquette.

Comme je ne m'assieds pas, il reste debout, appuyé contre la cloison près d'une table nue en bois grossier.

— C'est moi qui l'ai fabriquée, j'avais seize ans, et ce pupitre…

Il montre un pupitre ventru, façon écolier, avec une vitrine au-dessus, où sont rangés quelques livres. Je me rapproche. Le soleil couchant lui éclaire le dos, et je ne distingue guère, à contre-jour, que les flamboiements de ses yeux qui brûlent dans ses orbites, et son nez en bec-de-corbin quand il tourne la tête.

— Qu'est-ce que tu veux savoir, fille de Boche ?

— Qu'est-ce qu'on t'a fait pour que tu t'en prennes à nous ?

Il secoue la tête, ôte sa casquette, et découvre son crâne nu.

— Qu'est-ce qui te fait dire que c'est moi ?

Je n'ai plus un cheveu. Je ne pèse plus que cinquante-cinq kilos. J'en faisais quatre-vingt-deux.

— Je t'ai vu descendre de ton Express.

— On est des milliers à rouler en Express !

— Tu portes une perruque avec de longs cheveux bruns.

— Je n'ai pas besoin de perruque comme les femmes ! s'emporte-t-il, et je retrouve sa voix brutale du passé.

— Tu n'as pas de perruque, mais ta femme en a une, qui te donne un air de rocker !

Il ne cille pas, lève sa main osseuse, et l'agite dans la lumière de la fenêtre. Je persiste.

— Pourquoi, alors, as-tu dit que tu m'attendais ?

— Parce que j'avais envie de voir ta santé florissante avant de passer l'arme à gauche, petite fille de Boche ! Tu es gâtée. Tu t'installes dans la maison de l'ingénieur. Moi, je vais mourir, mes chais débordent de cognac que je n'arrive pas à vendre. Ma femme et ma fille se débarrasseront de tout ça dès que je serai parti. Tu n'as pas voulu de moi. Je t'aimais.

— Moi, je ne t'ai jamais aimé !

Il dodeline.

— C'est ce que tu crois.

Une grimace tord sa bouche, et il se met à

chantonner comme autrefois dans la cour de l'école :

— T'as pas de père ! T'as pas de mère !

Je lui réponds sur le même ton :

— Tu n'as pas de père toi non plus, il est dans le cimetière ! Et je sais pourquoi…

Il se cramponne au bord de la table. Des gouttes de sueur perlent sur son front, et mouillent ses sourcils. Des éclairs flamboient au fond de ses prunelles, semblables à ceux de l'enfance, quand il me torturait avec des achets.

— C'est pour ça que je t'aime, fille de Boche, dit-il. Je tiens de mon père, le milicien. Quand les terroristes sont venus à la maison, le matin, il a eu tout juste le temps de se sauver dans le jardin. Pas assez vite, parce que trois 11.43 ont craché à la fois, et l'ont allongé à plat ventre dans un carré d'orties. Les tueurs ont seulement expliqué à maman avant de partir : « Voilà pour la fusillade de Malaville. Votre mari était boche dans l'âme, madame ! » J'avais six mois, et je dormais dans mon berceau. Tu comprends que je m'intéresse à toi, Renée Duval. Mon père est mort à cause des Allemands. Ton père adoptif, Paillat, était un terroriste.

— Pas un terroriste, un résistant. Il n'est pour rien dans la mort de ton père. Il était déjà dans un camp en Allemagne.

— C'étaient ses amis.

— Ton père les avait donnés.

— Mon père aimait des salopards d'Allemands comme ton père, petite Coucou !

Je m'approche jusqu'à sentir son souffle sur ma figure.

— Pourquoi écris-tu : *Celui qui combat par l'épée périra par l'épée... ?*

— Tu avais meilleure mémoire à l'école ! ricane-t-il. Tu aurais été la première de la division, si tu n'avais pas été fille de Boche. Rappelle-toi, nous sortions de la leçon de catéchisme avec le curé Guignabert...

Il prend un malin plaisir à me rappeler la scène, et elle me revient clairement à la mémoire. Les garçons sont au bout de la vigne avec leurs culottes sur les chaussettes, leurs sexes dressés. Et j'entends alors la voix moqueuse de Norbert Mauvoisin crier en même temps la parole d'Évangile commentée par le curé Guignabert : *Celui qui combat par l'épée périra par l'épée !*

Comment ma mémoire a-t-elle occulté ces mots alors que j'ai revu cent fois la scène ? Peut-être parce qu'ils étaient sacrilèges ?

— Bernard Chauvin et Claude Proud, qui étaient avec moi ce jour-là, ne risquent pas de s'en souvenir, ajoute-t-il. La même maladie que moi a ramassé Chauvin. Et Proud s'est tué sur la route des vacances en Espagne.

J'essaie de retrouver le visage du gamin dans la figure ravagée de l'homme devant moi, appuyé sur ses cannes. Quel rapport entre le garçon violent, écrasant la petite fille abandonnée de la garde-barrière, et le moribond qui n'a plus que la peau sur les os ? Tous les rapports. Il n'a pas changé. L'enveloppe a changé, mais entre les paupières rapprochées filtre le même regard lourd de mépris, plus lourd encore à cause de sa déchéance.

Et il me rappelle l'autre scène, que j'ai toujours bannie, et n'ai jamais osé raconter à Bernard.

C'était trois ans après la première, à la frairie de Martignac, au mois d'août donc. La frairie, aujourd'hui disparue, avait lieu le deuxième dimanche d'août. Les manèges et les stands de tir étaient installés sur la place de l'église. Nous avions applaudi les champions de la course cycliste à leur passage devant notre maisonnette, l'après-midi. Maman Paillat n'avait pas les moyens de dépenser de l'argent pour le repas champêtre du soir. D'ailleurs je n'avais pas envie d'y aller. J'avais quinze ans. Bernard faisait déjà siffler pour moi son autorail. Mme Brégeon, chez qui je travaillais, m'avait dit :

— Tu as tort de ne pas venir au repas. Ne reste pas dans ton coin. Si tu ne vas pas vers les autres, ils ne viendront pas te chercher. Veux-tu que je te paye ta place ?

— J'irai l'année prochaine !

Quand la nuit est venue, je me suis quand même approchée du terrain du feu d'artifice. Marcel y était déjà parti, monté sur le porte-bagages d'un copain. Les hommes avaient passé une partie de l'après-midi à préparer les fusées et les pièces dans la vigne des Brégeon. Maman m'avait recommandé :

— Tu ne traînes pas. Pas question du bal. Tu reviens aussitôt le bouquet final.

Mais la dernière fusée éteinte, la lumière et la musique des manèges qui tournaient sur la place m'ont attirée et retenue. J'avais quinze ans, et à quinze ans on brode autour des cris et des rires des autres, quand on en est privé. J'ai tourné autour du tivoli du bal, attendant les premières mesures de l'accordéon. Je m'éloignais à travers le pré qui servait de parking, lorsque les phares d'une voiture m'ont éclairée. Quelqu'un m'a interpellée aussitôt :

— Renée, tu ne viens pas danser ?

Des voix moqueuses ont crié :

— Renée ! Re-née !

Et puis :

— Coucou ! Coucou !

C'était la troupe de Martignac qui s'empressait vers l'entrée du bal. J'ai accéléré entre les voitures. La peur me mettait la boule dans la gorge comme lorsque les garçons me poursuivaient avec les achets. Et Norbert Mauvoisin m'a rejointe.

Tout d'un coup, je ne sais comment, il a été derrière moi.

— Coucou, tu ne viens pas danser ?

Je me suis sentie étouffer, et j'ai commencé à courir.

— Ne te sauve pas !

Je suis sortie du pré. Il restait trois cents mètres à parcourir dans le grand noir jusqu'à la maisonnette. J'aurais voulu que viennent des voitures. L'accordéon du bal s'est mis à dérouler les pleurs de sa musique, et j'ai senti le souffle de Norbert Mauvoisin se rapprocher. De chaque côté de la route s'élevait la haie plus noire encore des vignes hautes. Il m'a soufflé dans le cou.

— Pourquoi as-tu peur ? Je ne te veux pas de mal !

Il avait déjà atteint sa taille d'adulte et cela accentuait ses instincts. Moi aussi j'étais femme, depuis mes onze ans. Mais je savais que contre sa force je ne pourrais pas grand-chose.

La lumière des carreaux de l'imposte de la maisonnette m'apparaissait comme un asile que je ne pourrais jamais atteindre. Sa main s'est glissée dans ma ceinture, derrière mon dos.

— Pourquoi cours-tu ? Tu sais que ça ne sert à rien.

Il tirait fort. La ceinture m'écrasait le ventre. Les phares d'une voiture sont apparus en haut de la côte de Martignac. Il a tiré plus fort.

— Arrête !

J'ai failli tomber. La voiture s'approchait du tournant du passage à niveau. J'ai voulu me jeter dans sa lumière. Il m'a saisie par le poignet et nous avons basculé dans le fossé.

La voiture est passée. Je me débattais. Il m'a frappée.

— Ce n'est pas vrai que tu ne vas pas te laisser faire, petite Coucou !

Il était sur moi, l'haleine empestée d'alcool.

— Tu vas apprendre ce que ta mère a aimé faire. Tu verras que toi aussi tu aimeras ça.

— Ma mère n'était pas une putain !

— Et moi je suis évêque !

Il m'a clouée par les poignets de chaque côté du fossé, et m'a emprisonnée les jambes dans un étau. Il a voulu m'embrasser. J'ai mordu. Il m'a donné un violent coup de tête. Du sang a coulé sur ma joue.

Il a ramené mes deux bras dans son poing et a commencé à promener son autre main sur moi. J'ai fait semblant de céder.

— Ah ! on va finir par s'entendre.

Il a desserré son étreinte pour défaire sa ceinture et ouvrir son pantalon. J'ai attendu, et j'ai lancé mon genou le plus fort que j'ai pu. Il a crié. Je lui ai échappé et me suis sauvée. J'ai couru.

Je suis arrivée à la maison, en larmes. J'ai eu peur de tourner la poignée. J'ai écouté. L'accordéon du bal jouait une valse. J'ai ouvert lentement.

Maman Paillat raccommodait, les jambes serrées sur le barreau de la chaise. Papa était déjà couché.

Je me suis précipitée dans la souillarde, vers la pompe et l'évier pour la toilette, avant que maman ait le temps de lever la tête. Elle m'a demandé :

— Qu'est-ce que tu as ?

J'ai ravalé mes larmes.

— Rien.

Je me suis frottée, frottée en pleurant, partout où il avait posé ses sales mains. J'avais fermé la porte et tiré la targette. Maman a frappé à la porte.

— Il t'est arrivé quelque chose !

J'ai essayé de répondre le plus naturellement :

— Rien du tout. Ça va.

Nous n'avions qu'un petit rectangle de miroir
fixé à un clou par une chaîne. J'ai examiné ma
lèvre coupée à l'intérieur, là où il avait donné
le coup de tête. Ma culotte était déchirée. Il faudrait que je la fasse disparaître et que j'invente
une histoire, car tous les vêtements d'une pupille de l'Assistance étaient comptés.

Maman avait un tube de fond de teint et un
poudrier qui ne lui servaient jamais, dans l'armoire de toilette. Je m'en suis étalé sur les
joues.

Les yeux fiévreux de Norbert Mauvoisin me
fixent. Et je sais qu'ils continuent de me répéter dans le silence : *Celui qui combat par
l'épée…* Seulement le sexe qu'ils me brandis-
saient ne me fait plus peur. La pièce empeste
la sueur et la haine. Je regarde ma montre. Il
faut que je parte.

— C'est parce que tu ne pouvais plus t'attaquer à moi directement comme autrefois que
tu t'en es pris au logis et à Bernard ?

Il sourit, referme sa main sur mon poignet et
serre avec une force qui me surprend.

— Je n'ai plus cessé de rêver de te coucher

dans l'herbe du fossé au bord de la voie.

Je dégage vivement ma main.

— Arrête tes bêtises !

— Tu n'étais pas comme les autres, petite Coucou. Tu sortais d'un trou de maisonnette avec des souliers démodés et des robes qu'on t'avait données, et tu avais des airs de princesse.

— Tu ne le supportais pas !

— Je suis sûr que ma vie aurait été changée si tu avais été avec moi. Je t'aurais couverte de cadeaux. On se serait bien débrouillé avec le cognac, et on ne serait pas dans le désastre que je connais aujourd'hui.

— Tu dis n'importe quoi, tu rêves, après tout ce que tu m'as fait subir !

Il cogne de sa béquille sur le plancher, serre les dents. Les muscles gonflent comme des œufs sur sa mâchoire. Il ferme les yeux et, dans un souffle :

— J'en veux à mon père de s'être mêlé de ces affaires de milice. Peut-être que sans ça, je n'aurais pas été comme ça…

Je l'écoute, et je retrouve au-delà du visage creusé par la maladie les traits pleins et réguliers du Mauvoisin d'avant : le nez aquilin à part, tout y était droit, le menton carré, le front large, la bouche bien dessinée, la lèvre supérieure plus pleine que la lèvre inférieure. Et je me rappelle le petit garçon brun aux cheveux ébouriffés qui pleurait sous le préau de l'école parce qu'on lui avait dit que son père était un collabo, et qui s'élançait soudain comme un fauve, et se vengeait sur tout le monde à grands coups de souliers à semelles de bois. Bien sûr, il me choisissait d'abord pour cible. Je lui dis :

— Tu aurais dû être le premier à me défendre, au lieu de me prendre pour bouc émissaire.

Des taches de couleur fraise marbrent ses joues grises. J'ai cru un instant qu'il allait faire acte de contrition, et j'ai eu pitié. Son visage se contracte avec une expression de dérision et de dédain. Une goutte de sueur coule sur son menton. Il rouvre les yeux. Son regard a retrouvé les éclats d'animal féroce. Il halète, tend sa béquille et l'appuie contre ma poitrine.

— Tu sais que tu es encore belle et désirable. Je t'ai dans la peau. Je t'ai vue sur ta toiture avec mes jumelles, quand tu changeais tes tuiles…

— Et alors ?

— Le sang m'a bouilli. J'ai failli me jeter dans la Charente. Tu étais en haut et moi en bas. Tu grandissais et moi je diminuais. J'étais malade du cancer. Tu riais au soleil. Tu étais la reine. J'ai enragé, et j'enrage encore aujourd'hui, en me demandant comment j'ai pu te laisser échapper, ce soir-là, alors que je te tenais sous moi et que j'avais dans les mains la chaleur de ta peau. Peut-être est-ce à cause de l'accordéon ? Tu ne l'entends pas ? Je l'entends encore…

Un sourire moqueur fait trembler sa lèvre. Ses yeux cavés me regardent avec une intensité hallucinée.

— J'ai rêvé cent fois que j'allais te baiser, et à chaque fois je n'y arrive pas, tu me files entre les doigts ! Tu n'imagines pas ce que c'est pour un homme… Mais tu es là, maintenant, Coucou…

Mes oreilles sifflent, et ce sifflement est un signal d'alarme. La bouche sèche, j'articule :

— Tu m'as haïe, et c'est là que tu as écrit ta première lettre !

Une force oppresse ma poitrine et mes côtes.

— Et puis tu as écrit la seconde, et tu as scié les poutres de la charpente du logis…

Je ne sais pas s'il m'entend. Ses yeux marron regardent à travers moi comme s'il pouvait déchiffrer l'avenir. Je le cramponne par les revers de son gilet, et le secoue, en larmes.

— Tu as préféré t'en prendre à Bernard et au logis, parce que tu ne pouvais pas m'avoir !

Les poings serrés sur ses cannes, il ne réagit pas, figé comme une statue. Et puis il s'anime.

Il dit d'une voix blanche, en s'avançant :

— J'aurais tout accepté, si tu avais été à moi.
Je le repousse, et hurle :

— Laisse-moi !

La porte s'entrouvre, le visage rond, décomposé, de la femme de ménage se glisse dans l'entrebâillement.

— Qu'est-ce qui se passe ? Vous êtes folle !

— Ce n'est pas moi qui suis folle ! C'est lui qui est fou ! Téléphonez à la gendarmerie !

— Laissez-nous, Marie ! Allez-vous-en ! ordonne-t-il violemment.

Elle se sauve, mon sang se glace. Il pose sur moi un regard lourd de convoitise, et la panique me prend d'être coincée au bout de cette maison dont il me barre la porte.

— Tu me méprises, dit-il, fille de Boche, parce que tu vas devenir châtelaine, et moi je vais crever !

— Je ne te méprise pas pour ça.

— C'est trop injuste. Je suis foutu. Tu n'as pas voulu de moi, il y a quarante ans. Qu'est-ce que tu dirais de basculer dans le fossé, petite Coucou ? Es-tu prête pour le dernier saut ?

Je me recule. Le picotement de la panique circule à la racine de mes cheveux. Mauvoisin appuie sa canne sur moi, et persifle :

— Je lui ai dit à ton Bernard que tu avais

291

roulé avec moi dans le fossé.

Je crie :

— Ce n'est pas vrai ! Tu mens !

— Je l'ai trouvé à la pêche au bord de la Charente…

— Qu'est-ce que tu lui as dit ?

— La vérité. Qu'on s'est amusés ensemble un soir de frairie.

— Menteur ! Quand lui as-tu dit ça ?

— Oh ! il y a longtemps… C'était après que vous avez hérité du logis… Il m'a cru.

Oui, tu as agi comme tu dis, bandit, j'en suis sûre, et Bernard n'est pas rentré pendant trois jours et trois nuits… La tête me tourne. J'empoigne l'extrémité de la canne, hurle.

— Tu as saboté sa voiture, assassin !

Il résiste, lutte :

— Il a tort de laisser sa voiture dans le hangar du logis. Ça n'a pas été facile, dans l'état où je suis. Entre midi et deux heures personne ne circule à Tourtras.

J'abandonne, essoufflée, essaie de retrouver mon calme, et de me frayer un passage.

Le soleil tombe en biais sur les palmiers en pots alignés au bord de la terrasse, en bas. Le doberman attend, le mufle entre les pattes sur le ciment. Il me voit derrière la fenêtre, et dresse les oreilles.

— Appelle ton chien !

J'ai dans la tête le rugissement de Norbert Mauvoisin lorsqu'il s'élance sur moi, et me saisit par les cheveux. J'ai ressenti un courant d'air, et me suis rappelé trop tard que, pendant toute notre confrontation, j'avais entendu la fenêtre agitée par le vent battre comme une menace contre la poignée de la crémone. Il venait de l'ouvrir. J'ai essayé de m'agripper, mais une formidable poussée m'a propulsée en arrière. Et tandis que je tombais dans le vide, j'ai pensé à Louisette et à sa robe de mariée étalée dans la cour du foyer de l'Assistance. Je me suis dit : « Pourquoi es-tu venue te jeter dans la gueule du loup ? »

J'ai entendu le doberman aboyer. Mes derniers visages ont été les vôtres, Catherine et Jacques. Vous étiez dans la grande salle du logis, toi Catherine avec ton violon, et toi Jacques avec l'harmonica minuscule qui traînait toujours dans ta poche lorsque tu avais quinze ans. Vous jouiez ensemble la musique céleste du concerto pour violon de Mozart. Je savais que vous jouiez pour moi. Et j'avais des larmes plein les yeux.

17.

Je me suis réveillée dans la lumière blanche d'une chambre d'hôpital de Girac. Les bip-bip de mon cœur palpitaient dans la salle de l'unité de réanimation. Le souffle de l'énorme respirateur artificiel accompagnait ma respiration.

J'ai aperçu, dans un halo, le visage de Bernard penché sur moi. Je me suis vraiment demandé si nous étions au ciel. J'avais la sensation de flotter dans un univers sans contours où finalement je me trouvais bien.

J'ai reconnu la voix de Bernard, mais elle me semblait venir de très loin, comme apportée par un écho. Et puis j'ai senti sa main qui tenait la mienne. Je l'ai entendu qui me répétait :

— Renée, ma chérie ? C'est moi, Bernard.

J'ai voulu lui parler, mais l'horrible tuyau du conduit d'intubation m'écrasait la langue.

— Renée ! Renée ! tu vas t'en sortir. C'est un miracle.

Ce que je ne comprenais pas, c'est par quel miracle, lui que j'avais laissé pour mort au fond du ravin, se trouvait devant moi. Et puis je me suis rappelé que je l'avais rejoint dans sa chambre, bien vivant. Une sorte d'émerveillement extraordinaire m'a envahie. Puisqu'il était vivant, j'étais décidée à vivre, coûte que coûte.

Je me suis rendormie rassurée, avec la sensation animale de ne plus être toute seule, abandonnée.

Je vous ai vus un peu après, les enfants, en fait un jour, quand je me suis à nouveau réveillée. J'allais déjà mieux. Bernard était au milieu de vous. Je ne souffrais pas. J'étais branchée sur le pousse-seringue de morphine, et les infirmières venaient régulièrement vérifier la mollette du système d'injection automatique.

Je crois que j'ai pleuré, de joie. Et vous avez pleuré aussi. Vous avez très vite compris à mon regard, avant que je puisse parler, que je vous demandais des explications. Vous me les avez données.

Bernard d'abord : tout allait aussi bien que possible. Deux côtes cassées le gênaient pour respirer, mais il était de retour à la maison, et il se remettait normalement. Quant à moi, on n'avait pas donné cher de ma peau. Mauvoisin m'avait poussée par la fenêtre du pignon où le vide était le plus profond et le sol pavé de grosses pierres.

Par chance, ma tête n'avait pas porté. Une jambe était cassée, un bras, fracture du bassin, des choses avaient éclaté à l'intérieur.

Après m'avoir poussée par la fenêtre, Mauvoisin est passé dans la pièce à côté où il avait le téléphone, et il a appelé la gendarmerie de Châteauneuf. Il a dit au planton de service — Rabier et ses hommes étaient encore sur les lieux de l'accident à Tourtras :

— C'est Norbert Mauvoisin, de Crazac : *Celui qui combat par l'épée périra par l'épée…*

Il n'a pas raccroché. Il avait déjà armé son fusil. Les cliquetis de ferraille, qui m'avaient alarmée lorsqu'il s'était éclipsé, étaient ceux de son arme qu'il préparait dans le couloir.

Le planton a ensuite entendu une détonation. Heureusement, il a eu le réflexe de prévenir tout de suite le SAMU. C'est ce qui m'a sauvée. Le médecin qui a constaté que j'étais vivante m'a tout de suite donné du sang.

Pour Mauvoisin, dans la chambre, il n'y avait plus rien à faire. Il avait enfoncé le canon de son fusil dans sa bouche avant d'appuyer sur la détente.

J'ai été une semaine entre la vie et la mort. La rate avait éclaté. On m'a enlevé une partie du foie. Les chirurgiens ont travaillé toute la nuit à essayer de réparer les dégâts. Ils ont recommencé le lendemain lorsque la température a remonté, pour une opération de la dernière chance. Je l'ai saisie. J'ai voulu vivre.

La situation a évolué favorablement ensuite, très vite. Le gros matériel de tuyaux a été débranché. L'écran du moniteur de contrôle s'est éteint. J'ai été transportée de l'unité de réanimation à une chambre du service de chirurgie.

Ma capacité de récupération a étonné les médecins. L'os de ma jambe redressé avec une broche se ressoudait. Je recalcifiais bien. Bernard faisait la navette, tous les jours, de Tourtras à Girac, trottant désormais comme un lapin. Je lui reprochais de se donner tout ce mal pour moi.

— Je suis bien soignée, ici. Les médecins et les infirmières sont tous gentils. Ce n'est pas la peine de te fatiguer à venir si souvent !

Il était assis dans le fauteuil à côté de mon lit.

— Qu'est-ce que tu ferais, si j'étais à ta place ?

— La même chose…

Il avait le visage encore marqueté de croûtes et de cicatrices. Sa moustache repoussait. La blessure la plus profonde était à la racine du nez, entre les deux arcades, où la peau avait éclaté. Le sang s'était répandu sur le visage, ce qui expliquait mon affolement et celui des sauveteurs pendant qu'il était prisonnier des tôles. Du mercurochrome badigeonnait toujours la plaie dont il effleurait les contours :

— Heureusement que j'ai la tête dure !

Il me lisait les journaux qui s'intéressaient cette fois à notre histoire. Des journalistes parisiens étaient même descendus, ravis de noircir du papier avec une affaire de corbeau. Bernard leur avait fermé la porte. Et les Charentais peu enclins à faire la une de la presse leur avaient répondu par le silence. Les articles avaient donc rapidement tourné court. Le criminel était mort, les victimes refusaient de parler, il ne restait plus que les communiqués du juge d'instruction et de la gendarmerie, quelques photos de la « citadelle blanche » de Tourtras en contre-plongée, ou de la « forteresse » de Crazac aux murs crénelés, agrémentés de quelques commentaires sur les mœurs provinciales.

Le chef Rabier est entré sur les talons de Bernard huit jours après mon installation en chambre, égal à lui-même, le képi sous le bras, embarrassé par sa grande carcasse, respirant fort, osant à peine me regarder en chemise, fixant les bulles de mon flacon de perfusion accroché à la potence.

— Vous avez bonne mine…, m'a-t-il déclaré pour dire quelque chose.

— C'est à cause de ça…

Je lui ai montré le bocal. Bernard lui a approché une chaise. Rabier a passé la main sur son crâne tondu, touché la poche de sa vareuse où était sa boîte de cigares.

— Le rapport de l'expertise démontre sans ambiguïté que les deux flexibles des freins droit et gauche de la voiture de votre mari ont été coupés à la cisaille. Les pinces trouvées dans le garage de Norbert Mauvoisin sont en cours d'examen, et il y a tout lieu de penser qu'elles ont servi au sabotage.

— Très bien.

— Les semelles de souliers trouvés dans son armoire à chaussures avaient une cible imprimée dans le caoutchouc, correspondant aux empreintes relevées sur le plancher du grenier de Tourtras.

— Parfait.

Rabier a soupiré en grattant les cals de sa main ouverte.

— Vous avez eu tort d'aller à Crazac toute seule. Pourquoi ne pas m'en avoir parlé ? Je suis arrivé à l'hôpital quand vous veniez de quitter la chambre de Bernard, vous aviez disparu. Je vous ai cherchée, mais comment aurais-je pu deviner que vous étiez partie vous jeter dans la gueule du loup ?

— Je ne regrette rien.

— Vous l'avez échappé de justesse.

— Nous l'échappons tous les jours. La seule différence c'est que nous ne le savons pas.

Bernard a posé la main sur la manche du gendarme.

— Je vous avais donné le nom de Norbert Mauvoisin.

Rabier a haussé les épaules.

— Et je suis allé frapper moi-même au portail de Crazac. Mais quand j'ai vu l'état de l'individu, je n'ai pas voulu croire qu'il était le corbeau.

— Il avait une fourgonnette Express.

— Il était en effet sur la liste des propriétaires d'Express, et nous nous intéressions à ses numéros.

Les battements de mon cœur se sont accélérés, le feu m'est monté aux joues.

— Tu as signalé Mauvoisin aux gendarmes, et tu ne me l'as pas dit !

Bernard a ramené, ennuyé, les pieds sous son fauteuil, entrouvert la bouche. J'ai murmuré :

— Ce qu'il t'a dit, autrefois, est faux. Cela

faisait déjà partie de ses mensonges, pour nous nuire.

— Je n'arrivais pas à le croire…, m'a répondu Bernard, sans me quitter des yeux. C'est pourquoi je suis revenu.

— Tu as quand même douté pendant au moins trois jours et trois nuits.

Bernard a baissé les yeux.

— Et peut-être un peu plus.

Rabier nous regardait, en essayant de comprendre.

— Nous avons fouillé la bibliothèque de Mauvoisin, a-t-il repris, et nous avons trouvé le livre où il faisait ses découpages. Sa femme est effondrée. C'est sûr qu'elle était étrangère à ses manœuvres. Elle se reproche d'avoir été aveugle. Elle l'a accompagné à Bordeaux pour ses opérations et ses séances de chimio. La maison lui fait horreur maintenant. Elle s'est réfugiée pour l'instant chez sa fille. Elles vont mettre en vente, mais qui va oser acheter la maison du corbeau. Je comprends. Ces histoires font toujours peur.

Il a soupiré encore, en fouillant dans son porte-documents de cuir noir au pied de sa chaise :

— L'un des plus beaux porches à créneaux de Charente, un porche rare. Peut-être des Anglais vont-ils l'acheter… Sa femme a commencé par se débarrasser du chien.

Rabier se décide à sortir le livre qu'il manipulait dans son sac. Il l'ouvre sur ses genoux.

— Ce n'est pas celui auquel il manque des pages. Les spécialistes l'ont emporté au labo. Mais il était son voisin dans la bibliothèque.

Il retourne le livre, en palpe le maroquin.

— C'est le tome deux des *Époques de la nature* de M. le comte de Buffon.

— Vous avez dit : *Les Époques de la nature* ?

D'excitation, je tends le bras valide, sans prendre garde à l'aiguille du cathéter.

— Faites-moi voir !

Le gendarme pose le livre sur le lit auprès de moi. Bernard m'aide à tourner les pages de papier jauni, illustrées de dessins à la plume. Nous vérifions la date d'édition.

— Vous lisez bien comme moi : 1859 ?

Rabier acquiesce.

— Je crois que je suis passé un soir à la gendarmerie vous demander d'aller faire un tour chez l'antiquaire du Plainaud.

Rabier hoche la tête.

— J'y suis allé.

— Parmi sa collection de vieux livres, dans son arrière-boutique, vous avez pu voir une édition des *Époques de la nature*. Vous savez de quand elle est ?

Rabier secoue la tête.

— De 1859 !

Rabier me dévisage, navré, hausse les sourcils.

— Vous êtes terrible !

Bernard vient au secours du gendarme.

— Qu'est-ce que cela aurait changé ? Encore fallait-il savoir que Mauvoisin possédait la même édition des *Époques de la nature !*

— Je ne sais pas. Peut-être que cela aurait tout changé !

L'adjudant-chef transpire, plus rouge qu'à l'ordinaire. Il fixe de ses gros yeux vides le livre ouvert sur mon lit.

— Je ne pensais qu'à ça, moi, jour et nuit, dis-je. Et ces lettres, c'est à moi qu'elles étaient adressées.

— Tout de même ! répond le chef pour se défendre, vous n'avez pas parlé. Et nous n'avons pas pu trouver la solution, qui était en vous.

Je corrige :

— Vous n'avez pas su…

Les rides du front, du cou, de Rabier se creusent. Il a perdu l'air modestement satisfait du policier qui est enfin arrivé au bout d'une enquête difficile.

Il reprend son livre en levant les yeux vers la fenêtre. Un nuage vient de s'ouvrir dans le ciel gris. Il pleut. La pluie s'écrase et pleure contre la vitre.

Les gouttes glissent lentement par le tuyau de plastique transparent, et coulent dans mes veines.

Il pleut encore quand vous entrez dans ma chambre le matin du 8 juin. Il y a neuf semaines que je suis hospitalisée. Ton ciré noir est constellé de gouttes, Catherine. Je palpe les gouttes et ramène le doigt sous mon nez.

— Laisse-moi sentir l'odeur de Rome !

Tu ris.

— Il fait beau à Rome ! C'est déjà l'été. On va rentrer les azalées de la place d'Espagne parce qu'elles vont avoir trop chaud !

C'est ton second voyage en quelques semaines. Tu es là aussi, toi, Jacques, portant un bouquet de roses du logis que tu as cueillies avec Bernard. Son parfum flotte entre les odeurs lourdes d'hôpital.

— Je vous remercie de vous donner tout ce mal. Mais il ne fallait pas.

Nous attendons une dernière visite du chirurgien. J'ai abandonné la chemise de nuit, mis pour la première fois une robe, les collants que Bernard m'a apportés. J'aurais préféré un jean mais, dans l'état où je suis, une robe est conseillée.

— Alors comment te sens-tu d'avoir revêtu le costume civil ? me demandes-tu, Jacques.

Je feins de ne pas m'apercevoir de vos mines trop réjouies et de vos plaisanteries forcées. Vous m'entourez au-delà du raisonnable, et cela cache mal votre inquiétude. Passe que tu sois là, Jacques, ce matin. Mais toi, Catherine… Pourquoi aurais-tu fait ce voyage, si tout allait bien ?

Le chirurgien arrive enfin. Vous cessez de rire. Vos visages tendus se tournent vers lui. Le chirurgien est un petit homme, un petit vieux dans ce monde de jeunes.

— À son âge, affirment les infirmières, il a la main plus sûre que les plus jeunes.

Les mains au fond des poches de sa blouse blanche, il plaisante.

— Alors, madame Villebois, vous en avez assez de nous voir ! Vous allez nous quitter ?

Il y a dans le ton de sa voix et derrière ses lunettes mieux qu'une parole et un regard de spécialiste, une vraie tendresse. C'est sa force. Il le sait. Il en joue.

— Vous serez plus à l'aise au centre de réadaptation fonctionnelle où on essaiera de vous aider à retrouver vos jambes.

Je relève l'extrême prudence du médecin. Nous nous regardons, lui debout au pied du lit où je suis encore allongée. Je marche dans son jeu, fais semblant d'y croire, lui réponds en souriant devant vous :

— Il y aura des exercices à la piscine, paraît-il. Je serai brillante comme un éléphant de mer !

Bernard m'observe, et son regard, qui insiste, me demande : « Tu es sûre que ça va ? » Je me doute qu'il n'est pas à l'aise, et que je le surprends à jouer ce petit jeu convenu. Je détourne les yeux. Le docteur consulte mon dossier. Une infirmière prend des notes.

— Vous avez commandé un fauteuil roulant ?

— Oui, l'ambulance est venue avec.

L'infirmière ouvre la porte et l'ambulancier entre en poussant devant lui le fauteuil à grandes roues. L'homme m'explique en baissant la voix comment l'aider pour qu'il m'asseye.

Ma guérison s'est déroulée normalement dans des conditions satisfaisantes, sauf sur un point : les jambes. Je me suis doutée assez vite qu'il y avait quelque chose qui clochait. La plaie de mon opération à l'abdomen se refermait. On ne parlait que d'elle. On me félicitait. On allait m'enlever les drains. Mon bras se remettait à fonctionner. Mais je ne sentais rien dans mes jambes, passe encore pour celle qui s'était brisée, mon bassin avait été fracturé, bien sûr, était-ce normal que je ne ressente pas le moindre fourmillement de vie dans ma jambe intacte ?

J'ai interrogé prudemment les infirmières, d'abord :

— Vous dites que je guéris vite. Mais comment se fait-il que je ne bouge pas la jambe ?

Et puis :

— Est-ce que je suis condamnée à ne plus marcher ?

Le chirurgien a alors été obligé de parler. Il a été direct, comme je le lui demandais. Il croisait les bras au pied de mon lit.

— Je ne peux vous dire que ce que je sais au moment où je vous parle. Ce qu'on pouvait craindre est arrivé. Votre colonne vertébrale a été touchée quand vous êtes tombée… Pour le moment, vous n'avez plus l'usage de vos jambes.

— Pour le moment…

— Oui. J'ai soigné une jeune femme avec un traumatisme semblable au vôtre. À force d'exercices et de volonté, elle s'est remise à marcher. Cela n'est pas revenu du jour au lendemain. Ça s'est passé il y a cinq ans… Et puis la science progresse. Certaines techniques opératoires permettent aujourd'hui de recouvrer de la mobilité.

— La science progresse…

J'ai ajouté :

— Autrement dit, je suis condamnée au fauteuil roulant…

— Pour le moment…

Je fixais le scratch sur la blouse où était le nom du chirurgien. Mon cœur cognait si fort que ma gorge palpitait, et que des points incandescents dansaient devant mes yeux. Il est venu plus près, à mon chevet. L'infirmière-chef se tenait dans le couloir d'entrée.

— Nous allons tout faire pour vous aider.

J'aimerais pouvoir écrire que mes jambes tremblaient. Mais elles demeuraient complètement insensibles à ce qui m'arrivait. Il est sorti, et je me suis mise à pleurer. Bernard m'a trouvée dans cet état en entrant dans la chambre, peu après. Alors voilà, moi, j'étais donc condamnée à rester impotente.

Je me suis révoltée. J'ai crié que c'était injuste. J'ai gémi. J'ai pleuré. Et puis j'ai accepté, parce que j'étais obligée. On m'a examinée, scanérisée. Dans l'état actuel de la science, ici, on ne peut rien de plus pour moi. On dit qu'en Amérique, des greffes de matériel électronique font marcher des paralysés. C'est loin, l'Amérique.

Je passe mon bras autour du cou de l'ambulancier. Il entoure ma taille du sien. Ma robe remonte haut sur mes cuisses et mes collants. Notre château branlant vacille un instant, et je me retrouve sur le coussin du fauteuil. Je tire sur les bords de ma robe. L'ambulancier ramène discrètement mes pieds sur les repose-pieds.

Je suis en bas, vous en haut. Nous n'aurons plus le même point de vue sur le monde. Est-ce que cela est jamais arrivé ? Est-ce que je n'ai pas toujours été infirme ? Vous me découvrez pour la première fois dans ce que je vais appeler désormais mon carrosse. Je me fais l'effet d'un gros insecte épinglé à sa boîte.

Nous nous regardons, muets de stupeur. Je vois à la crispation de vos visages que vous souffrez autant que moi.

Je touche les accoudoirs, les roues de mon nouveau véhicule. L'ambulancier veut bien m'expliquer le fonctionnement du levier du frein. Je pense à notre chambre en haut de l'escalier de Tourtras : « Tu ne pourras pas y monter ! » Tu te détournes, Catherine, pour cacher tes larmes.

— Faites bien vos exercices, me dit le chirurgien. Et n'oubliez pas une chose, madame Villebois, en médecine rien n'est jamais définitif, sauf si on est mort. Et vous êtes vivante.

Sa petite taille me le rend plus proche. Je veux rester dans le ton de l'émotion générale.

— Je suis vivante, mais pas tout à fait ressuscitée ! Il me tapote la main sur l'accoudoir.

— Je passerai vous rendre visite.

J'ai transpiré sans rechigner aux appareils auxquels les kinés étaient parfois obligés de me sangler. Le père Robin, le maréchal de Martignac, sanglait ainsi les bœufs, et leur levait la patte avec des courroies et des poulies pour les ferrer.

— S'il y a une petite chance d'amélioration, madame Villebois, m'encourage le jeune sportif débordant de santé qui me transporte, il faut la saisir.

J'ai conscience qu'on ne peut rien espérer de plus, et encore ! Le chirurgien, auquel j'ai demandé des détails, m'a expliqué que je l'ai échappé belle, la brutalité de ma chute aurait pu aussi me priver de l'usage de mes bras.

Il n'empêche, quand j'ai été plongée dans l'eau bouillonnante de la piscine, j'ai éprouvé la sensation étrange que le bas de mon corps revivait. La fraîcheur de l'eau, sa pression sur moi, je me suis crue, un moment, capable de commander mes jambes.

J'ai appris à nager avec petit Maurice dans le petit bain de la Charente. Nous désobéissions à maman Paillat qui avait une peur bleue de l'eau. Nous allions nous baigner en culotte après le déjeuner pendant que tout le village dormait en été. Je devais être très jeune. Je n'avais pas encore de poitrine.

Je me suis imaginée un instant revenue au passé, en train de patauger dans la piscine du centre de réadaptation. J'ai effectué des brasses vigoureuses. Le maître nageur m'a félicitée. Le sang m'est monté aux joues. Je me suite vite rendu compte que, si je flottais si facilement, mes brassières n'y étaient pas étrangères. Je me suis obligée cependant à y croire un peu, puisque je nageais. Lorsqu'on m'a retiré mes brassières, mes illusions se sont envolées. J'étais redevenue infirme.

Je suis tributaire de mon fauteuil roulant. Mes deux jambes sont mortes. Mais Mauvoisin n'a réussi à tuer que cette partie de moi-même. Comme le voyage à Potsdam m'a fait admettre sans honte mes probables origines allemandes, le face-à-face sanglant de Crazac m'a, semble-t-il, libérée de mes fantômes. Le

311

centre de rééducation n'a plus besoin de m'administrer des calmants, et je dors bien. Je suis réveillée, le matin, par la fille qui entre en courant d'air dans ma chambre.

— Alors, madame Villebois, on dormait comme un bébé ?

Je sursaute, honteuse d'avoir raté l'heure.

— Vous, vous êtes une bonne dormeuse ! ajoute-t-elle.

La pauvre, si elle savait ! J'entends dans le couloir les bruits de verres et de plateaux du chariot du petit déjeuner qui approche. Mon inattendue sérénité, dans la situation où je me trouve, m'étonne. Nous sommes décidément de drôles de machines. On dirait qu'il fallait que je touche le fond pour que je m'apaise.

L'infirmière presse le bouton des volets roulants qui s'élèvent. Le petit jour éclaire les arbres du parc. Le ronronnement du va-et-vient des autos sur le parking de l'hôpital a déjà commencé. Les pas de la fille s'éloignent dans un froissement de blouse.

La femme du petit-déjeuner entre, avec le café.

— Avez-vous de l'appétit, ce matin ?

Je suis difficile sur le café, vous le savez.

— Un peu.

Je dresse mon lit en position assise, m'appuie des poings sur le matelas pour me redresser davantage. Je ne veux pas qu'elle m'aide à m'asseoir.

— Comment je ferai quand je serai chez moi ?

— Vous avez raison, dit-elle avec un trémolo. Vous êtes courageuse.

Je découvre entre ces murs une misère qu'on n'imagine pas dehors. Beaucoup de jeunes garçons et de jeunes filles sont là, victimes d'accidents. Nous nous retrouvons dans la salle des machines et la piscine. Nous plaisantons, nous nous encourageons. Je sais qu'ils pensent que moi je peux rire, j'ai vécu. Je comprends qu'ils me considèrent comme une vieille, et je n'essaie pas de jouer avec eux les copines.

Bernard ne vient plus me voir qu'une fois tous les deux jours. Le centre de rééducation est loin de Tourtras. Lui accuse maintenant le coup. Il a mauvaise mine. Il a perdu cinq ou six kilos.

— Tu n'as pas mal quelque part ? C'est possible, après ton accident.

Il secoue la tête.

— Tu as l'air triste.

Il m'adresse un sourire forcé.

— C'est peut-être parce que tu es mal peigné…

Je passe la main dans ses cheveux pour écraser l'épi dressé au sommet de son crâne.

— Il faudrait peut-être que tu ailles chez le coiffeur…

Il n'y est pas allé depuis que nous sommes mariés. C'est toujours moi qui lui ai coupé les cheveux.

— Nous ne changerons pas nos habitudes. Je garderai mes cheveux jusqu'à ce que tu me les coupes !

— Si tu m'apportais mes ciseaux, je le ferais.

— Pas ici, on mettra des cheveux partout.

Je crois qu'il s'ennuie. La solitude lui pèse. Mon infirmité l'inquiète. Il se demande comment nous allons faire. J'ai hâte de rentrer.

Nous sommes installés près de la fenêtre de ma chambre, orientée sur la cour d'honneur.

Le centre est un château du XIXe auquel on a ajouté des pavillons au fur et à mesure des besoins. J'ai bloqué mon chariot contre son fauteuil. Nous nous tenons par la main. Nous chuchotons comme deux amoureux. Je lui montre les palmiers au-dessus de leur rond de pelouse.

— J'ai toujours rêvé de palmiers. Ceux de

Mme Brégeon aux Ragons sont beaux. Leurs palmes cliquettent dans le serein, l'été. Ils donnent à la maison un air de Sud. C'est drôle qu'il n'y en ait pas au logis.

Bernard presse mes doigts, mes ongles, mes poignets.

— Tu veux qu'on en plante ?

— Il est trop tard, maintenant, à la fin juin.

— Pourquoi ? On peut les planter avec leurs mottes.

— Qu'est-ce que tu fais en ce moment ?

— Je bricole. Je n'avance pas. Je suis toujours dans la salle de bains.

Je l'ai encouragé à poursuivre les travaux tels que nous les avions commencés. Le pire, je crois, serait de tout arrêter. Si la salle de bains ne me sert pas, elle servira à d'autres.

Je lui réponds sur le même ton.

— Moi non plus, je n'avance pas !

Il me regarde, s'assombrit comme s'il allait bouder. Je ris.

— Je plaisante !

Je passe ma main sur sa tête. Je lui ai coupé les cheveux. Je suis prisonnière, et je n'arrive pas à être malheureuse. Bernard est à l'extérieur. Il mesure sans doute mieux que moi tout ce qui va être changé dans nos vies. Ma prison est un cocon. Lorsque je serai dehors tout me paraîtra sans doute plus difficile. Les amis de Tourtras sont venus me voir, Francine Perrochon, le père Compain, Mme Brégeon bien sûr. Ma belle-sœur, Jeannette, m'a apporté une plante verte à longues feuilles aux extrémités piquantes comme des épées que je n'apprécie guère.

Il me reste quinze jours. Je devrais rentrer à la maison pour le 14 juillet. Je m'entraîne à descendre toute seule du lit à mon fauteuil. Il y a une technique. Il faut prendre soin de mettre le frein au carrosse qui doit devenir un autre moi-même, un compagnon fidèle. Je lui parle, le tutoie.

— Viens plus près.

Le réprimande.

— Pas comme ça ! Ne te mets pas de travers…

Je m'exerce à basculer du carrosse au fauteuil sans roues, refuse l'aide des infirmiers. Je transpire, grogne, me fâche, m'entraîne à rouler toute seule à travers les longs couloirs, d'un pavillon à l'autre.

Je prends les ascenseurs. J'explore. On me fait l'article pour les fauteuils à moteur électrique. Je sais. On verra.

Pour l'heure je suis plus assidue que jamais à la piscine. Si je n'ai plus de jambes, il faut que je compense. Je me muscle les épaules, les bras. L'infirmier maître nageur m'interpelle.

— Doucement, madame Villebois. Soufflez. N'exagérez pas. Vous allez vous faire mal ! N'oubliez pas que vous vous êtes cassé un bras.

Il parle bien, lui qui parade en maillot sur ses deux jambes ! Je n'éprouve pas de lassitude et ne ressens pas de douleur. Peut-être aurais-je été une sportive, si le destin l'avait voulu ?

18.

Vous faites irruption, tous les trois, sans prévenir, dans ma chambre, la veille de ma sortie
d'hôpital : Bernard, Catherine et Jacques. Vous
défilez pour m'embrasser avec des visages tellement empruntés de comploteurs, que j'écla-
te de rire.

— Qu'est-ce qui vous arrive ? Qu'est-ce qui
se passe ?

Je suis dans mon carrosse. Bernard prend le
fauteuil, et vous le lit, côte à côte, en face de
moi.

— C'est un conseil de famille ?

— Presque.

Mon pouls commence à battre dans mon estomac. Je roule mon carrosse auprès du fauteuil
de Bernard. J'ai entrouvert le vasistas. Les oiseaux du parc s'égosillent. Leur pépiement in-
cessant clame jusque dans la chambre les plai-
sirs des nids.

— Catherine et Jacques ont bien travaillé…, commence Bernard.

Et il s'arrête. Ses yeux brillent anormalement. Il est plus émotif ces derniers temps.

— Te souviens-tu de la question que je t'ai posée en sortant de chez Richard Duval à Potsdam ? me demandes-tu, Catherine. Ce jour-là, j'ai décidé de commencer des recherches généalogiques…

Tu changes de position, inclines le buste vers moi, reprends :

— Nous gardons un secret depuis plusieurs jours, maman. Te sens-tu prête à entendre une nouvelle importante ?

— J'en ai tellement entendu, ces derniers temps ! Bonne ou mauvaise ?

— Pas mauvaise.

Je déplace machinalement les roues de mon fauteuil. Vos airs sont si graves que mes oreilles se sont mises à siffler et que je n'entends plus les cris des oiseaux.

— J'ai appelé Jacques à notre retour de voyage. Je lui ai parlé de notre visite à Richard Duval, et nous avons commencé notre travail sur ta famille, maman.

Tu vérifies l'effet de tes paroles sur moi, tu attends l'approbation de ton frère, et tu continues.

319

— Nous avons rapidement disposé de trois documents : la copie de la lettre de la préfecture à la mairie d'Angoulême, informant du décès de ta mère, Françoise Duval, en avril 1975 ; un échange de lettres entre la mairie d'Angoulême et la mairie de Bruz, près de Rennes, le mois suivant, authentifiant l'adresse portée sur l'acte de décès : 8 rue du Calvaire ; un extrait de naissance de Françoise Duval, authentifiant le nom de son père et de sa mère née de père inconnu...

Ainsi ma mère est morte. Mes oreilles sifflent. Je t'entends, Catherine. Mais j'éprouve une sensation étrange de détachement de la réalité. Je vois tes mains que tu croises et décroises nerveusement sur tes jambes. Ainsi la mère de ma mère était née de père inconnu...

Le directeur de l'Assistance m'avait prévenue. Si je cherchais, je découvrirais de la misère, des adultères, des désordres sexuels. C'est pourquoi je n'ai jamais rien entrepris sérieusement. J'interroge Bernard :

— Tu étais au courant, tu ne m'en as pas parlé ?

— Je ne voulais pas que tu te fasses des idées. Je ne sais pas, d'ailleurs, si nous avons raison aujourd'hui.

Pourquoi est-ce que je pense à petit Maurice : « On s'en ira, un jour, tous les deux… » Je nous vois, main dans la main, nous éloigner sur la voie ferrée. C'est qu'avec toi, Catherine, avec vous, je suis en train de remonter traverse par traverse un bout du chemin qui m'était interdit.

Je m'aperçois soudain que nous sommes silencieux, et que vous me regardez. Tu descends du lit, Jacques.

— Tu veux un verre d'eau, maman ?

— Ça va… Continuez !

Tu continues, Catherine.

— Nous avons insisté auprès des mairies pour obtenir des extraits de naissance, des actes de mariage et de décès. Les documents contenaient quelques informations sur les ancêtres de Françoise, mais rien sur elle et ses descendants éventuels. On m'a parlé de la banque de données des Mormons. De Rome, j'ai interrogé leur site de Burbank en Californie, et j'ai remonté la piste Duval. Quand je trouvais quelque chose d'intéressant, j'imprimais. Ces recherches m'ont beaucoup appris sur nos ancêtres, et j'ai retrouvé les huguenots de Potsdam, mais rien sur Françoise.

L'extrait de naissance de Françoise Duval portait la mention de son mariage postérieur de cinq ans à ta naissance, à Dompierre-sur-

Charente. J'ai donc écrit à la mairie de Dompierre qui m'a répondu qu'il n'y avait pas d'acte de mariage. J'ai pensé que, peut-être, je me trompais de Dompierre, et j'ai envoyé la même lettre aux vingt-deux Dompierre de France. J'ai obtenu la même réponse. J'ai failli me décourager...

— C'était quand ?

— Il n'y a pas longtemps, un peu avant l'accident de papa, et le tien.

Tu as chaud. La sueur mouille tes mains. Tu pétris ton mouchoir. La remontée de l'arbre familial t'est pénible. J'aurais des questions, mais je ne t'interromps pas. Vous n'avez pas commencé à dérouler cette pelote sans avoir encore quelque chose d'important à me révéler.

— À ce moment-là, dis-tu, j'ai appelé Jacques au secours...

Tu prends naturellement le relais, Jacques.

— Je suis allé à Dompierre-sur-Charente, avec Agnès, consulter les tables décennales, auxquelles on m'a d'abord refusé accès, le jour où vous avez failli mourir tous les deux. J'ai découvert qu'il y avait eu erreur, peut-être volontaire, de dates : le mariage avait eu lieu en 1947, et non en 1950. Un enfant était né de l'union de Françoise Duval et Robert Mahaut, le 25 mars 1948...

Tu t'arrêtes à ton tour. L'émotion étrangle ta voix. Le 25 mars est aussi le jour de mon anniversaire. J'aurais donc un frère, de trois ans plus jeune que moi, qui célèbre son anniversaire en même temps que moi...

La tête me fait mal. Je me demande si Bernard n'a pas raison, si ce ne sont pas trop de nouvelles à la fois. Mais nous sommes allés trop loin maintenant. Je suis comme un poisson dans la nasse. Je refuse de voir comme tes yeux brillent, Catherine. J'avance la roue de mon fauteuil vers toi, Jacques. Et c'est toi qui reprends, Catherine.

— J'ai continué, bien que vous soyez à l'hôpital. Je me suis servie de l'Internet. Il n'y avait plus de Mahaut à Dompierre. J'ai cherché tous les Mahaut de France, mais aussi de Guadeloupe, lieu d'origine du mari de Françoise. J'en ai répertorié trente-quatre, auxquels j'ai envoyé une lettre manuscrite, postée à Bordeaux le jour où je suis venue te voir, maman, aux soins intensifs. J'ai sélectionné dix noms sur une liste de soixante-seize Mahaut habitant la Guadeloupe, et je leur ai envoyé une lettre quelques jours après. Le 28 mai, j'ai reçu un courriel de Marie-Claire Mahaut, qui me disait :

Je suis l'épouse de Robert Mahaut que vous avez contacté pour des recherches sur la famille de votre maman. Je vous confirme qu'il est son demi-frère. Françoise était la maman de Robert. Je me tiens à votre disposition pour d'autres renseignements et, si possible, j'aimerais beaucoup en avoir moi-même…

Tu pleures, Catherine, en ajoutant :

— J'étais toute seule devant mon ordinateur, à Rome. Patrice était à l'ambassade. J'ai aussitôt transmis le message à Jacques, à Paris.

Nous pleurons à notre tour. Même toi, Jacques, qui n'es pas à l'âge où les hommes pleurent. Ces larmes noient le sifflement de mes oreilles, desserrent l'étau qui me tenait la tête. Mais je les aime parce qu'elles nous soulagent. Nous les partageons.

Je tends mon mouchoir à Bernard, parce que je suis sûre qu'il n'en a pas dans sa poche. Il me sourit en pleurant.

— Quelqu'un entrerait, il croirait qu'il nous est arrivé un nouveau malheur !

Je regarde mes jambes d'infirme, clouée dans son fauteuil.

Tu passes la main dans tes cheveux, Catherine, et les rejettes en arrière. Tu interroges ton père et ton frère des yeux. Je sens que vous ne m'avez pas encore tout dit. Et c'est Bernard qui se décide en continuant de mettre de l'ordre dans sa moustache avec mon mouchoir.

— Serais-tu d'accord, Renée, si on tc proposait de rencontrer ton demi-frère ?

— Parce que… ?

— Il habite Fougères, en Ille-et-Vilaine. Il a fait le voyage pour venir te voir. Il attend en bas, dans le hall.

Je n'ai plus de jambes, mais je ne sens plus, non plus, mes bras…

— Eh ! doucement, vous allez me tuer !

Je secoue la tête, et refuse.

— Non, c'est trop tôt. Pas déjà.

Je sais que je vous déçois. Je vous regarde, un rayon de soleil printanier vous baigne dans sa buée rosée. Tu balbuties, Catherine :

— Il rentre chez lui, ce soir.

— Non, je ne peux pas.

— Allez le prévenir que ce n'est pas la peine qu'il attende, dit Bernard. Ce sera pour une autre fois.

Vous y allez ensemble. Nous restons seuls, côte à côte, Bernard et moi, dans nos fauteuils. Les sifflements d'oreilles sont partis, et les pépiements d'oiseaux sont revenus.

— Je ne suis pas courageuse.

— Je ne te reproche rien. J'avais dit aux enfants que ce serait trop en une seule fois.

— Comment est-il ?

— Bien.

Des fourmis me courent sur les bras.

— Va leur dire que je change d'avis. Je suis prête à le recevoir.

— Tu es sûre ?

— Je veux qu'il vienne.

Bernard se lève, hésite.

— Dépêche-toi de les rejoindre avant qu'il ne soit parti !

J'entends du bruit derrière la porte, dans le couloir. J'ai inondé mon mouchoir d'eau de Cologne que j'applique en tampon sous mon nez. Je m'efforce de me tenir le buste bien droit, et je m'emplis de respirations profondes. Je regarde l'heure clignoter au bas de l'écran du poste de télévision : quinze heures vingt-cinq.

Vous manœuvrez discrètement la large poignée. Et c'est lui qui entre le premier, le visage d'abord masqué par le faux jour. Il s'avance jusqu'au bord du lit, grand, brun, les tempes blanches. Il me tend les mains.

— Eh bien, Renée, tu es encore plus belle que sur les photos !

Je lui réponds :

— Moi, je n'ai pas vu de photos !

Vous êtes derrière lui. Il y a aussi une femme, qui doit être la sienne, Marie-Claire. Je dis :

— Vous n'allez pas avoir de place pour tous vous asseoir.

Vous souriez. Il a les longues jambes des Duval. Je lui montre le fauteuil de Bernard.

— Assieds-toi. Alors, il paraît que tu es mon frère ?

— Il paraît. Et toi, ma sœur...

J'insiste pour qu'il s'asseye. Il m'obéit.

— Jusqu'à tout à l'heure, je n'avais ni père, ni mère, et maintenant j'ai un frère ! Tu me tombes du ciel !

— Je suis un peu lourd maintenant pour être apporté par les cigognes.

— Les Duval ont de gros os.

Je l'épie dans la lumière du soleil.

Je recherche la marque de famille qui ne me saute pas aux yeux. Il a, quand on le sait, le type mulâtre, son côté Mahaut, le nez camus, les pommettes osseuses ; le menton fort, ça c'est à nous.

— C'est fou ce que vous vous ressemblez ! s'écrie Marie-Claire.

— Vous croyez ?

L'opinion de cette femme, qui ment peut-être pour me faire plaisir, me réjouit. Et je remarque les yeux de Robert, vert turquoise, vert vif, à reflets de soufre. Je dis :

— Yeux verts, yeux de vipère ! Tu as les yeux verts. Tu iras en enfer !

Il sourit, mais je le sens tout aussi tendu que moi. Malgré sa peau mate, je vois qu'il est pâle. Lui aussi doit supporter le choc de cette sœur qui lui naît, toute faite, adulte, déjà un peu vieille, et infirme.

— Alors vous habitez Fougères ?

La banalité de ma question évite les sujets plus sensibles.

— Dans une petite rue qui monte, près de l'église Saint-Léonard. Vous viendrez nous voir. Du jardin, on a une belle vue sur le château.

— Vous avez des enfants ?

— Deux, comme vous. Deux filles.

Bernard apporte des chaises qu'il est allé chercher à l'extérieur. Vous vous asseyez en rond.

— Est-ce que tu savais que j'existais ?

— Oui, je le savais. Je ne savais pas où tu étais. Mais je le savais…

Il rougit, détourne la tête vers la fenêtre.

— Il faut comprendre… J'y suis pour rien.

Il lève la main comme pour repousser quelque chose, l'applique sur son front et se met à pleurer.

— Est-ce que c'est utile d'aborder déjà ça ? souffle sa femme. Quand nous avons reçu le courriel de Catherine, il ne voulait pas que je réponde.

Il écarte la main de son visage, essuie ses joues avec ses doigts, s'excuse, tourne vers moi ses yeux rougis.

— Je pensais qu'il était trop tard. Et puis ma grand-mère m'avait prévenu de me méfier. Je pouvais tomber sur une mauvaise famille qui revenait vers nous pour créer des problèmes avec des histoires d'argent.

Marie-Claire précise :

— Il ne voulait surtout pas revenir sur le passé. Il a été placé, et battu.

Notre mère l'a donc abandonné, lui aussi ? Pourquoi pas son second bébé, puisqu'elle avait abandonné le premier ?

— À quoi bon ressasser ! dit-il. Du moins aujourd'hui. On n'est pas venus pour ça.

Ses prunelles vertes s'animent. Il s'épanouit d'un large sourire.

— On m'a dit que tu aurais aimé voir au moins une photo…

Vous avez fait la commission. J'ai souvent répété que je n'avais même pas une photo de ma mère. Robert cherche dans la poche intérieure de sa veste. Ses doigts tremblent à ouvrir l'enveloppe qu'il en a tirée. Mes mains se crispent malgré moi sur les roues de mon véhicule. Il me tend un rectangle de photo, format carte postale. Mon cœur s'affole dans ma poitrine.

Je te demande mes lunettes sur la table de nuit, Jacques. J'oriente la photo vers le soleil. Et ma mère est devant moi.

— Mon Dieu ! C'est elle ?

Je veux être sûre. Robert acquiesce.

Sur un cliché de professionnel en noir et blanc. Elle ressemble à la mère que j'ai rêvée. J'ai l'impression de sentir son odeur. Je caresse son visage, ses cheveux.

— Tu l'as vue en vrai, toi ?

— Oui.

— De quelle couleur étaient ses yeux ?

— Verts. Comme les tiens et les miens.

Je la trouve belle.

Elle est debout, dressée sur des chaussures à talons. Sa robe légère est serrée par une large ceinture autour de sa taille fine. Elle tourne légèrement la tête pour appuyer la joue sur le violon qu'elle a posé contre son épaule. Et elle me regarde, ma mère, avec ce sourire penché auquel je ne résiste pas. Je vois ses doigts posés sur les cordes, l'élan des coudes et du buste.

Ma mère, maman… Les larmes coulent sur mes joues.

— Elle était musicienne ?

— Oui.

— Vous avez hérité d'elle, Catherine et Jacques.

Je fixe ses yeux clairs, trop clairs, qui ont capté l'éclat du flash du photographe. Ma tête se brouille. Je vous tends la photo. Comment a-t-elle pu nous abandonner ? Vous vous rapprochez pour regarder ensemble.

— Elle a dû être prise dans les années 1950, dit Robert. Ils avaient déménagé à Bruz.

Il montre la signature du photographe, et son adresse à Rennes, sous la photo.

— Elle est morte le 20 avril 1975, dit-il.

— Tu avais cinq ans, Catherine !

Tu hoches la tête. Tu le savais déjà.

— Ce n'était pas une grande musicienne. Elle jouait du violon dans les boîtes. Ne pas faire carrière a été la grande déception de sa vie. Elle a déménagé à Rennes parce qu'on lui avait laissé espérer une place dans l'orchestre philharmonique de Bretagne. Elle y a effectué quelques remplacements, et n'a jamais été titularisée.

— Tu l'as vraiment connue ?

— Oui, à la fin, quand elle était très malade. C'est comme ça que nous nous sommes installés à Fougères.

Vous me rendez la photo. Je tiens ma mère dans mes mains.

— Je l'aime malgré tout, dis-je en pleurant. Elle arriverait, je la serrerais dans mes bras !

— Je sais des choses qu'elle m'a dites à ton sujet, me confie Robert, mais ce n'est pas le moment, ce serait trop long.

— J'ai beaucoup de choses à te demander ! Il se recule.

— Pas maintenant.

— Pourquoi ?

— Ça suffit pour aujourd'hui. J'ai été malade.

— Robert a eu des problèmes cardiaques, dit Marie-Claire. Il faut lui éviter les émotions trop fortes.

— Il est servi ! Pourquoi partez-vous ce soir ? Vous pourriez dormir chez nous, à Tourtras.

— Les filles nous attendent à Fougères. Nous nous reverrons bientôt.

Il est maintenant pressé de partir. Il regarde sa montre.

— Je t'écrirai. Il y a longtemps que j'ai envie de mettre ça sur le papier, pour les enfants. Je le ferai pour toi.

— Tu raconteras aussi ton histoire.

Nous ne nous étions pas encore embrassés.

C'est lui qui s'incline, puis s'agenouille auprès de mon fauteuil. Nous gardons l'une contre l'autre nos joues mouillées, qui brûlent.

— Je n'ai eu qu'un ami, quand j'étais petite fille. Je le considérais comme un frère. J'aimerais l'avoir retrouvé.

Vous vous embrassez tous. D'un seul coup la famille s'est agrandie, et c'est un miracle.

Le soleil, plus bas, frappe la fenêtre. On ne voit plus au-dehors. Des paillettes de poussière glissent dans la lumière. J'ai chaud, j'étouffe. Bernard ouvre la fenêtre.

Les oiseaux sont dans la glycine dont la branche s'allonge sur le mur. Leurs ailes battent dans les feuilles quand ils s'envolent. Quelques grappes mauves s'y balancent. Leurs effluves entrent dans la chambre. Comment est la glycine de Tourtras ?

Nous restons là, tous les quatre, à contempler nos mains, sans trop savoir que dire, saouls de larmes, et d'une lassitude heureuse. La photo de votre grand-mère, que Robert nous a laissée, nous regarde sur la table de nuit. Elle est jeune, très jeune. Elle sera pour nous éternellement jeune.

V

Le lit

19.

Je n'ai pas beaucoup dormi pour ma dernière nuit au centre de réadaptation. Les événements de l'après-midi étaient trop présents.

Je me suis levée après le passage de la fille
de garde dans ma chambre, et j'ai relevé les
volets roulants. Je suis restée longtemps assise
près de la fenêtre à contempler la lumière jaune des lampadaires et la géométrie de la cour
d'honneur. La photo de maman était sur ma table de nuit comme une image pieuse. Je me suis
tournée plusieurs fois vers elle, incrédule, et j'ai
à chaque fois éprouvé le même coup au cœur.
Je doutais encore que ce soit vrai. Je lui ai parlé. Je me suis exercée à lui dire : « Maman !
Maman ! »

Je m'étonnais de ne pas lui en vouloir. Oh !
je savais bien qu'elle n'était pas une sainte !
Mais je me rendais compte que je lui avais
pardonné depuis longtemps. Je pensais devant

son visage qui me regardait depuis les profondeurs de mon enfance qu'elle avait dû être ballottée par la vie, probablement par la guerre étant donné ma tête de fille de l'Est. Si elle nous avait abandonnés, ce ne pouvait pas être complètement de sa faute. Je me rappelais les paroles de Robert : « Elle m'a dit des choses à ton sujet… »

Elle ne m'avait donc pas oubliée. Je m'en voulais, dans la panique, de ne pas avoir interrogé mon frère au sujet de mon père.

Les chiffres de l'heure palpitaient comme un cœur sous l'écran du téléviseur. Les lampadaires de la cour d'honneur se sont éteints. La lumière laiteuse de la lune a découpé les silhouettes des palmiers et des massifs au bord des allées. Je suis retournée dans mon lit. La nuit est longue quand on veille. Mais j'ai l'habitude des attentes. Qu'est-ce que j'ai fait d'autre depuis ma naissance ?

Une vibration confuse et lointaine parcourait le centre comme si un moteur le mouvait. Des claquements de portes retentissaient dans les couloirs, des bruits de pas, des écoulements d'eau dans des chambres voisines. Je pensais au lendemain, à mes difficultés de déplacement dans les petites pièces aux portes étroites de notre maison de la venelle. Bernard prétendait que ce n'était pas un problème. J'allais lui être une charge.

La peur m'a mouillé les aisselles, le ventre. La cicatrice de mon opération s'est mise à me démanger. Je me serais arraché la peau, si je ne m'étais pas retenue.

La fille du petit déjeuner entre en courant d'air dans ma chambre.

— Mais vous avez dormi les volets ouverts, madame Villebois !

— Et alors ?

Le jour se lève, enveloppé de brume. C'est un habit qui convient à ce matin, pour moi plein d'incertitudes. Bernard arrive un peu plus tard. Il insiste pour que je me maquille.

— À qui veux-tu que je plaise ?

— À moi. Fais-moi plaisir.

Il m'accompagne dans la salle de bains, m'encourage à sortir le fond de teint et le tube de rouge dont je ne me suis pas servie depuis mon hospitalisation. Il me regarde dans la glace, me sourit. Je pense à ma coquette de mère et à mon corps d'infirme dans son fauteuil. J'ai besoin de la main de mon mari. Il me la donne. Je la serre.

Nous prenons l'ascenseur. Mon vieux chirurgien de Girac m'attend dans l'entrée.

— Vous avez bonne mine ! s'exclame-t-il en me saluant.

Et puis :

— Nous n'avons pas réussi à vous réparer aussi bien que nous l'aurions souhaité !

— Vous avez rafistolé ce que vous avez pu.

— C'est vrai que vous êtes une miraculée. Et j'espère que vous n'avez pas fini de nous surprendre. Me permettez-vous cette mauvaise plaisanterie : vous avez une capacité à rebondir extraordinaire !

Je ris jaune.

— Sans les pieds !

Il s'incline vers moi et me tapote affectueusement la main avec la volonté de me convaincre.

— Même dans un fauteuil roulant on peut aller loin.

Il m'accompagne jusqu'aux portes automatiques de l'entrée. Je roule mon fauteuil sur le bitume. Mon Dieu ! Je suis dehors pour la première fois, libre, avec mon infirmité. Le brouillard s'est levé. Le ciel est pommelé. Bernard a stationné l'auto à l'abri des regards, là où je le lui ai demandé.

Il a acheté une voiture haute avec une large portière, capable de nous loger, mon fauteuil roulant et moi. Je veux m'y asseoir toute seule, comme je m'y suis entraînée. Mais ma prise du longeron n'est pas assez sûre. Mon derrière lourd m'emporte. Patatras ! Mes jambes suivent. Je crie. Sans Bernard je me retrouvais par terre. Je rugis.

— Tu comprends pourquoi je ne voulais pas que les enfants viennent avec toi, ce matin !

Je tamponne mon front, enlève le fond de teint et le rouge à lèvres.

— Calme-toi. Ça viendra.

— Ne me parle pas comme ça. Je ne veux pas de pitié !

Ce sont nos premières minutes, et nous nous disputons. Ma robe a souffert dans la bataille. La couture a cédé. Quand il a chargé le fauteuil à l'arrière de la voiture et revient s'asseoir au volant, je cherche sa main.

— Excuse-moi.

— J'aurais réagi comme toi.

Est-ce une illusion ? La vigueur du soleil de ce 13 juillet me surprend. Sa lumière crue m'éblouit et me brûle. Il est vrai qu'il entrait dans ma chambre à travers les vitres teintées.

L'animation des rues d'Angoulême m'étonne. Un scooter qui nous double à droite en rugissant me fait sursauter. Une jeune femme s'élance sur les clous avec son landau au ras de notre pare-chocs. On croit que tout s'arrête, quand on s'arrête, mais la vie continuc. Ma main cherche la jambe de Bernard, et s'y pose.

Quand nous quittons le trafic de la nationale 10 et obliquons vers les collines de Château-neuf, quelque chose s'ébroue en moi. Le bonheur monte à longer les rangs de vigne. Je me rappelle mon émotion, semblable, à mon retour de Berlin. Je suis de la famille de ces ceps autant que de celle de ma mère. Les tuiles du vieux moulin à huile inondées de soleil me bouleversent. Je rentre chez moi.

Un coffre à sel est exposé dans la vitrine de l'antiquaire du Plainaud. Est-ce qu'il a toujours *Les Époques de la nature* de Buffon ? La pendule de l'hôtel de ville indique treize heures.

— Elle est arrêtée ?

— Non, c'est l'heure.

— Je suis décalée. Au centre, on nous apportait le déjeuner à onze heures et demie.

Après la côte de Châteauneuf je guette le panache de notre cèdre, et mon cœur s'emballe.

— Va doucement.

Je me penche pour contempler notre colline. La meule du soleil l'écrase. La végétation du printemps l'a envahie. On distingue à peine quelques toits et un miroitement blanc des pierres du logis à travers les branches.

— Il faudra encore élaguer. Vu d'ici, on est envahi par les arbres.

Nous descendons vers Martignac et la voie ferrée, stationnons devant la maisonnette de maman Paillat. Cette fois, c'est elle qui tend son mufle ridé à l'intérieur de la voiture en se cramponnant à la portière. Ses yeux m'inspectent comme autrefois, le dimanche, quand sonnait la messe.

— Tu as bonne mine.

Elle est la deuxième à me dire ça. Son regard effleure mes jambes, rangées de biais, comme des rames inutiles.

— Tu en profiteras pour te faire servir. N'est-ce pas, Bernard ? Tu as assez servi les autres.

Sa main rugueuse râpe ma joue. Elle s'approche plus près, chuchote.

— Tu as retrouvé ta maman, ma bichette ? Catherine me l'a dit.

Ses yeux retrouvent un instant leur éclat perdu.

— Catherine m'a câlinée : « Nous ne t'aimerons pas moins, grand-mère » !

— Pauvre ! J'espère bien que tu as le cœur assez grand pour aimer deux grands-mères !

Et que l'amour que tu donnes à l'une, tu ne l'enlèves pas à l'autre !

Nous franchissons les ponts sur la rivière. Des cygnes qui remontent le courant nous accompagnent. Nous prenons la route de la vallée, que je n'ai pas revue depuis l'accident. Plus de trois mois après, il ne reste pas de traces dans le clos où gisait la voiture. La végétation a tout recouvert. On reconnaît, cependant, la trajectoire aux piquets neufs plantés dans les jeunes vignes.

Nous montons vers Tourtras. Vous nous attendez tous les quatre, Catherine et Patrice, Jacques et Agnès, dans la cour de la venelle. Je lève les yeux vers le rectangle de mon ciel, respire l'odeur de l'air entre les pierres noircies.

Bernard a sorti les géraniums. Le parfum tiède des roses de la plate-bande vient jusqu'à moi. Je laisse Bernard me prendre dans ses bras pour m'asseoir dans le fauteuil. Il a fabriqué un plan incliné pour la marche du seuil.

Retrouver Pompon me mouille bêtement les yeux. Il se précipite vers moi, saute sur mon repose-pieds en ronronnant, se frotte contre mes chevilles. La table est mise. Vous avez préparé un repas de fête. Je heurte les chaises pour rejoindre ma place.

Je ne veux pas dormir après le déjeuner. Je partirais faire un tour du propriétaire, mais je crains de rencontrer des gens du village, et d'avoir à subir leurs regards et leurs questions.

— Tu ne pourras pas rester toujours cachée, me dit Bernard.

On y va. Je prends mon chapeau de paille qui n'a pas quitté la patère du couloir. Nous rejoignons la route au moment où Gérard Thomas arrive avec son tracteur. Il se découvre de sa casquette et s'incline pour nous saluer.

Mon véhicule cahote sur les pierres de l'allée où Bernard me pousse. Le moindre caillou est un obstacle. Il n'a peut-être pas travaillé autant qu'il le souhaitait au logis. Mais il m'a caché l'aménagement du parc. Les traces de l'incendie ont presque disparu. Les murs béants sur des déblais, les derniers chevrons calcinés ont été enlevés. Une porte neuve ferme la distillerie recouverte de tuiles roses que nous avions décidé de conserver.

— L'assurance a donné son feu vert, m'explique Bernard. La découverte du corbeau a tout débloqué.

— C'est bien. Tu as fait venir une entreprise ? Il hausse les épaules, sourit.

— Je ne supportais pas d'être enfermé avec l'idée de toi à l'hôpital. J'avais besoin de grand

344

air. Philippe est venu, et quelques autres, Gérard Thomas, que nous avons croisé tout à l'heure, avec son gros tracteur. Il faisait beau. Il a tiré toutes les saloperies, les troncs d'arbres du contrebas que nous avions abattus, et passé la débroussailleuse.

Nous avons descendu le chemin de l'avant-cour en pente où j'ai été obligée de mettre le frein. Bernard attendait sans doute cet instant où se dévoilerait le parc, au pied du logis. Nous sommes sur la terrasse. Tout le désordre des grandes herbes, des branches, des pousses sauvages, qui cernait la maison, malgré notre nettoyage de l'hiver, n'existe plus. Le parc est redevenu un parc. L'espalier de la roseraie, taillée court, dégringole la pente, fleuri de ses premières roses. Les kakis, les pruniers ont été émondés. Les buis manquants qui bordaient les allées retracées et sablées ont été remplacés. Le bassin de pierre rond abandonné à la végétation a resurgi. Le trottoir caniveau qui descendait vers le fond a été débarrassé de la terre qui le recouvrait. De jeunes pousses de gazon fragile verdissent la terre retournée et roulée autour du grand chêne d'Amérique.

— J'étais sûre que ça pouvait être aussi beau que ça…

Je fais pivoter mon fauteuil.

345

— Comment avez-vous pu faire si vite ?

Je suis jalouse de ne pas y avoir participé.

— D'autres gens sont venus m'aider, les amis de Francine Perrochon. Un matin, ils ont été si nombreux qu'on se serait cru dans un jardin municipal !

J'effectue un tour complet avec mon fauteuil, et je découvre les deux palmiers plantés de chaque côté des piliers de la grille du logis. Leurs palmes cliquettent, agitées par un souffle tiède. Ils sont déjà grands, un mètre cinquante.

Je cherche la main de Bernard sur la poignée de mon véhicule derrière moi et, la gorge serrée :

— Tu as fait ça…

J'incline la tête en arrière. Mon chapeau glisse.

Je garde sa main dans la mienne. Il me pousse vers le logis. Vue de mon fauteuil, la hauteur des murs de la « maison de l'ingénieur » est plus impressionnante. Je pense : je suis à hauteur d'enfant, je devais le voir ainsi avec mes yeux d'enfant, je ne remonterai plus y mettre des tuiles, j'ai bien fait d'y aller en son temps. La porte à double battant sous la marquise permet d'introduire facilement mon fauteuil. Le couloir est large.

— Je pourrai y faire la course !

Les portes sont larges aussi.

— Les gens qui construisaient les châteaux avaient les moyens de voir grand !

L'escalier étroit, tournant, glissant, de notre chambre m'arrête. Bernard suit mon regard sur les marches.

— As-tu fini d'aménager la salle d'eau ?

— J'ai tout arrêté à partir du jour où tu m'as annoncé que tu ne marcherais pas.

— Tu m'avais dit que tu continuais… Finis-la quand même, elle servira aux enfants.

Il hoche la tête.

— Maintenant que tu es là…

— Nous, on va s'installer en bas, dans la chambre à côté de la grande pièce. Tout est de plain-pied.

— Les hauts plafonds ne te font plus peur ?

Des bruits de voix viennent de dehors. C'est vous, les enfants, qui arrivez par couples en vous tenant par le bras. Vous étiez restés faire la vaisselle à la maison. Le parc vous réjouit.

— La villa de Montepulciano, en Toscane, où nous nous arrêtons pour acheter de l'huile d'olive et du vin, ressemble à ça, dit Patrice.

Il y a longtemps que je pense que, sous le soleil, Tourtras ressemble à l'Italie.

347

Après votre départ, le lendemain, nous re-descendons au logis, Bernard et moi. La lumière est belle encore. Un oiseau est posé sur le palmier, plumage bleu rosé, taches bleues, queue noire, un geai des chênes. Quand nous nous approchons, il s'envole en lançant son cri d'alarme à travers le parc. Je lance les roues de mon fauteuil dans le couloir du logis, et je me heurte à l'escalier, comme la veille.

Je me retourne vers Bernard dans le clair-obscur du couloir.

Je le vois jeune aux commandes de son auto-rail, tel qu'il venait vers moi à vélo par le petit chemin du bord de la voie. Et je sens, surprise, s'épanouir en moi la sensation qui m'a toujours fuie, la délicieuse impression de vide au-dessous des côtes, semblable au vertige de la balançoire lorsqu'elle atteint le point le plus haut.

Je suis folle. Les accidents m'ont détraquée. Je touche la photo de ma mère, qui me suit dans ma poche. Je regarde Bernard, et lui demande :

— Emmène-moi là-haut, dans la chambre.

Il ne comprend pas.

— S'il te plaît !

Il ne m'objecte pas que je ne suis plus une gazelle, qu'il y a vingt-quatre marches, et que

mes jambes mortes sont un encombrement sup-
plémentaire. Il se penche. Je me pends à son
cou. Il m'enlève à mon fauteuil. Je sais qu'il a
assez de force pour me porter. Et alors qu'il me
soulève et m'emporte, je sens une brûlure en
moi, une crispation des muscles comme lorsqu'on a soif et qu'on approche le verre de sa
bouche.

Notre équipage passe devant le petit palier
de la salle de bains. Bernard me pose sur le lit.
Je ne le lâche pas.

Tout ce qui me retenait s'est envolé. Le tourbillon qui m'emporte engloutit mes réticences
passées. J'arrive. La vague intense nous réu-
nit.

Bernard se met à trembler, après. Il tressail-
le de la tête aux pieds.

— Ne tremble pas.

Je me rappelle un cheval brun rouge attaché
à l'anneau de l'épicerie de Martignac, lorsque
j'étais petite. Un chasseur avait tiré un coup de
fusil près de ses oreilles, et le cheval emballé
avait franchi sa clôture. Les hommes venaient
de le rattraper, et des vagues de tremblements
parcouraient la robe de l'animal. Je touche Bernard, en me souvenant de la main de l'homme

qui flattait l'encolure luisante, et lui demande de quoi il a peur.

— Je n'ai pas peur, dit-il, je suis trop content. Et puis :

— C'est toute la peur qui s'était accumulée, pendant toutes ces années, qui s'en va.

Sa réflexion est pleine de bon sens. Le cheval de l'épicerie n'avait plus peur. Ses tremblements venaient après.

« On peut aller loin, même en fauteuil roulant… », a dit mon vieux chirurgien. Merci, mon Dieu ! Je presse la tête de mon mari contre ma poitrine.

Je ne sais pas pourquoi les éoliennes de la lande de Lüneburg me reviennent en mémoire. J'ai la sensation que leurs grandes ailes blanches tournent dans mon cœur.

20.

J'ai attendu la lettre de Robert pendant six jours. Je commençais à perdre patience. Je guettais le passage du facteur au bout de notre venelle, et je poussais les roues de mon fauteuil le plus vite possible, jusqu'à la boîte.

Quand je m'en retournais, déçue, j'avais envie de me précipiter sur le téléphone et de lui crier : « Robert tu ne tiens pas ta promesse ! Tu m'oublies ? »

— Sois patiente, me disait Bernard, calme-toi ! Attends ! Ne le brusque pas. Il ne t'a pas dit qu'il t'écrirait tout de suite. Ce n'est sans doute pas facile pour lui.

Enfin, ça y est, sa lettre est là. Je l'ai dans la main. Son adresse est écrite au dos. L'enveloppe est grosse. Il a dû écrire un journal. Je ne l'ai pas ouverte. Elle est posée sur mes genoux.

351

Je pousse les roues de mon véhicule. Des graviers humides collent à mes pneus et salissent mes mains. Une averse matinale a lavé l'atmosphère qui devenait lourde. Le soleil revenu a une limpidité encore plus grande.

Je brandis la lourde lettre vers Bernard debout derrière le géranium de la fenêtre ouverte, Pompon est devant, roulé en boule entre les pots de fleurs. Comme il fait beau, je m'arrête sous le cerisier entre ombre et soleil. La lettre a été postée à Fougères, la flamme du tampon représente le château. L'écriture régulière ne ressemble pas tellement à Robert. Il s'est appliqué, a recopié un brouillon, probablement.

Chère grande sœur,

Je ne pensais pas, un jour, écrire ces mots-là. D'ailleurs, rien qu'à les écrire, voilà que ma main tremble. Je suis devenu une fontaine, me reproche Marie-Claire, depuis le premier message de Catherine. Je pleure, sans savoir pourquoi.

Excuse-moi, d'abord, de ne pas t'avoir écrit plus tôt. J'ai été fatigué à notre retour à Fougères. Le médecin est venu. Mon électrocardiogramme n'a pas été brillant... T'écrire, je crois, me fera du bien. Je vais me soulager de certaines choses. Mais tu comprends que te rerou-

ver, c'est me retrouver en face de maman.

Elle m'a donc abandonné comme toi, à ma naissance, à Dompierre-sur-Charente. Il ne faut pas la juger. Peut-être que si nous avions été à sa place nous aurions agi pareil. Je lui en ai voulu, je l'ai détestée, quand je souffrais pendant mon enfance, et encore plus pendant mon adolescence. Quand je l'ai retrouvée, plus tard, alors que les médecins ne pouvaient plus rien pour elle, et qu'elle m'a parlé, je ne l'ai pas comprise. J'ai eu pitié. Je me demande si je n'ai pas commencé à l'aimer, il y a quatre jours seulement, lorsque tu as posé les yeux sur sa photo, dans ta chambre. D'après ce qu'elle m'a dit, il faut tout rattacher à toi, ramener à toi, même si tu n'es responsable de rien...

Bernard est toujours debout derrière les géraniums et le chat. Il me regarde. Je le regarde, porte la main à ma poitrine. Je continue.

Il faut revenir à Angoulême, en 1943. Les Allemands sont partout, à la Braconne, la caserne Bossut et celle du 107ᵉ. Les hôtels sont réquisitionnés. Un soir, elle revient de sa leçon de musique par l'avenue Clemenceau, avec son amie Monique. (J'ai refait le trajet plusieurs fois.) Elle a seize ans et demi. Elle monte sur le muret du jardin de l'Hôtel de ville, sa boîte de violon à la main. Au bout du muret, elle se retrouve nez à nez avec un grand Allemand en uniforme, qui la prend par la taille en riant, et la pose par terre. Elle est élève chez les sœurs de Chavagnes, où sa mère est femme de service. Elles habitent toutes deux un petit deux pièces sombre du vieil Angoulême, rue Bouillaud. Le représentant en vins, Marcel Duval, son père, a abandonné sa femme et sa fille depuis longtemps, pour s'installer à Bordeaux...

Notre mère m'a raconté tout ça sur son lit d'hôpital, à Rennes, sans que je l'interroge, ça venait tout seul. Elle avait besoin de se soulager avant de partir. J'étais là. Sans moi, elle serait morte toute seule, comme elle avait vécu, avec les indigents. Je me reproche de lui avoir fait sentir que j'accomplissais mon devoir, pour la punir de ne pas avoir accompli le sien.

L'Allemand et elle se sont revus. Il était Oberleutnant, s'appelait Reinhard. Le travail retenait sa mère à l'Institution jusqu'à neuf heures le soir, tous les jours. Après les cours, Françoise était donc libre dans cette ville fermée par la guerre. Elle a aimé son beau lieutenant avec la passion et l'inconscience de ses seize ans et demi. Lui aussi l'aimait, m'a-t-elle dit. Son colonel lui interdisait de la voir, mais il ne l'écoutait pas.

Reinhard l'a invitée dans sa chambre d'hôtel de la rue Saint-Martial. Elle y est allée avec son violon. Elle m'a chanté quelques mesures d'un Lieder que Reinhard lui demandait de jouer. Il chantait bien. Ils ont rêvé qu'après la guerre ils pourraient partir en tournée ensemble donner des récitals.

Ils se cachaient. Notre grand-mère ne savait rien. Mais Monique, la camarade du premier jour sur le muret de l'Hôtel de ville, était dans la confidence, et les patrons de l'hôtel ne fermaient pas les yeux quand elle venait. Elle s'est trouvée enceinte. Elle m'a assuré qu'elle était heureuse. Reinhard l'était moins. Il lui disait qu'ils allaient perdre la guerre, qu'il allait partir, il serait fait prisonnier ou tué. Elle lui répondait : « Tu reviendras. Notre enfant sera un enfant de l'amour. » Elle a prononcé exactement ces mots-là, je me souviens très bien, sur son lit d'hôpital. Elle pleurait, le visage ravagé par la maladie.

Je m'arrête de lire. Le cœur me fait mal. J'appelle Bernard, qui vient sous l'arbre. Je lui lis le dernier paragraphe. Les sanglots étouffent ma voix. Je ne m'étais jamais imaginée en enfant de l'amour, abandonnée.

Reinhard avait raison. Angoulême a été libérée le 31 août 1944. Françoise a été arrêtée en s'en allant à l'école, sur les remparts, le matin du 2 septembre. Elle était enceinte de deux mois. Un service d'ordre, submergé par la foule qui criait : « Putain de Boche ! Salope ! », l'a accompagnée avec d'autres filles jusqu'à la maison d'arrêt, place des Prisons.

Simone, sa mère, notre grand-mère, est venue la voir, en larmes, l'après-midi. Elle se doutait que sa file profitait de son absence pour sortir, et lui lançait des réflexions sur les filles coureuses, en se lamentant de ne pas avoir de mari pour dresser sa fille. Mais de là à imaginer l'inimaginable ! Elle n'était pas une méchante femme. La vie l'avait endurcie. Son beau-père était ouvrier à la Poudrerie. Sa mère lavait le linge des autres. Les belles paroles et les promesses du marchand de vins, Marcel Duval, avaient embobiné Simone reconnaissante aux Sœurs de l'avoir accueillie et d'avoir pris en charge l'instruction de Françoise.

Le lendemain, 3 septembre, notre mère a connu le jour le plus dramatique de toute son existence. (Il faut que je te le raconte, puisqu'elle me l'a raconté.) Ils l'ont tirée de la prison avec les autres filles pour la promener à travers la ville noire de monde, qui célébrait la Libération. Elle m'a dit qu'en passant devant l'hôtel de la rue Saint-Martial, elle a souri, malgré les injures et les crachats, parce qu'elle pensait : « *Vous pouvez me faire tout ce que vous voulez, vous ne m'enlèverez pas ce que nous avons vécu, Reinhard et moi.* » Elle pleurait encore en me racontant cela. « *À ce moment-là, je croyais que Reinhard reviendrait, ou que j'irais le retrouver.* »

Ils les ont traînées jusqu'à la place du Tribunal où la foule était rassemblée. Ils les ont fait monter sur les marches où ils avaient mis des tabourets. Les coiffeurs attendaient avec leurs ciseaux, la tondeuse. Ils les ont tondues et leur ont tracé après des croix gammées sur le crâne et le front. Il faisait chaud. Elle avait soif. Elle ne sait pas comment elle n'est pas tombée.

La mère supérieure des sœurs de Chavagnes est venue à la prison un après-midi avec Simone, et elle a dit sévèrement à Françoise dans le bureau du directeur : « *C'est par reconnaissance pour le travail et le courage de votre malheureuse maman que nous vous sortons de là, ma petite. Vous allez partir dans notre maison de Saintes.* » Françoise baissait sa tête rasée. Le visage de la mère supérieure dans sa cornette était de marbre. Simone était une petite chose effondrée dans ses habits noirs.

Françoise est montée dans la voiture qui l'attendait sur la place des Prisons. Elle aurait bien voulu embrasser sa mère.

Elle s'est sauvée de la maison des sœurs où elle était enfermée. La religieuse cuisinière, qui s'était prise d'affection pour elle, lui avait parlé de son oncle notaire à la retraite, retiré à Dompierre avec sa femme. Comment a-t-elle fait pour se rendre chez eux ? Elle était à son sixième mois, son ventre se voyait. Ses cheveux avaient suffisamment repoussé pour ne pas éveiller de soupçons.

La guerre n'était pas finie. Les Allemands s'étaient réfugiés dans ce qu'on a appelé « la poche de La Rochelle » où on s'est battu jusqu'à l'armistice du 8 mai 1945. En tout cas, elle a frappé à la porte de ces braves gens et leur a raconté ses salades, que la guerre l'avait rendue orpheline, que dans l'état où elle était, elle avait besoin de travailler. Ils ont bien voulu la croire, l'ont accueillie, et lui ont confié un travail d'employée de maison.

Je referme la lettre, la glisse nerveusement dans l'enveloppe. Bernard a lu par-dessus mon épaule.

— C'est incroyable ! On va dans la chambre, je veux voir sa photo, dis-je.

Bernard m'accompagne.

L'image de ma mère est sur la table de nuit.

J'ai envie de lui dire que je l'aime.

Bernard s'assoit près de moi, sur le lit. Il a relevé le couvre-pieds, et s'est assis sur la couverture. Je vous ai assez souvent réprimandés, les enfants : « Dans quel état est ton lit ! Tu t'es encore assis dessus ! » J'ouvre à nouveau la lettre de Robert.

Ces gens l'ont reçue chez eux presque comme une fille qu'ils n'avaient pas et, dans son innocence, elle a cru que tout était encore possible. La guerre allait finir, Reinhard revenir. Mais l'escapade n'a duré que trois semaines. Les sœurs avaient lancé des recherches. Elle était mineure. La cuisinière s'est rappelé leur conversation au sujet de son oncle. Françoise a été ramenée à Saintes. Comment es-tu née malgré tout à Dompierre ? A-t-elle fait une seconde fugue à la veille de ta naissance ?

Elle m'a dit que c'est dans l'épuisement des heures qui ont suivi l'accouchement qu'elle a réalisé sa situation, et sa solitude. Les journaux publiaient des photos qui montraient des colonnes de véhicules allemands mitraillées par les Américains entourées de cadavres. La petite fille qui venait de naître, qu'elle avait appelée Renée comme Reinhard, n'aurait pas de père. Au mieux, Reinhard avait été fait prisonnier. Qu'est-ce qu'elle allait devenir avec un enfant sur les bras ? Elle n'avait pas dix-neuf ans. Elle ne voulait pas imiter sa mère et sacrifier sa vie à être servante des bonnes sœurs qui la tenaient enfermée.

Au mois de mai, après l'armistice, sans nouvelles de son lieutenant allemand, elle a commis à son avis sa plus grosse bêtise : elle t'a enlevée des mains des religieuses pour se venger — tu aurais pu être heureuse élevée par toutes ces femmes qui se querellaient à qui s'occuperait de toi —, et elle est partie à La Rochelle qui venait d'être libérée. Elle a vu un écriteau derrière la vitre d'un bar du quai des Ursulines : « Cherche musicien ». Elle est entrée.

Le patron ne demandait pas mieux que d'embaucher une fille qui jouait du violon, mais ne la voulait pas encombrée d'une brailleuse. Il l'a poussée à se débarrasser de son paquet. Il vous a accompagnées au bureau de l'Assistance. Et notre mère m'a juré que lorsqu'elle a signé les papiers où elle t'abandonnait, elle espérait encore que ce serait passager. Elle t'a embrassée en te promettant de revenir te chercher avec ton père, quand tout serait apaisé.

Et puis elle a mené la vie d'une fille qui joue pour les soldats et commence son travail à l'heure où les autres vont se coucher. Les Américains étaient à La Rochelle. On t' a expédiée au Foyer de l'Enfance d'Angoulême sans doute pour t'éloigner de ta mère.

Elle avait demandé à la sienne, notre grand-mère, de la prévenir si elle avait des nouvelles de Reinhard. Les relations de la mère et de la fille se sont envenimées lorsque je suis arrivé, trois ans plus tard. Notre grand-mère n'a plus écrit à sa fille que pour se lamenter de ses mœurs dissolues et de son ingratitude. J'ai été abandonné à mon tour. J'ai connu le même sort que toi, le même guichet, les femmes en blanc voilées comme des religieuses, une croix rouge sur le front.

Je n'ai pas eu ta chance d'être accueilli par une famille Paillat. C'est peut-être ma faute. J'étais sans cesse en bêtises. J'avais, paraît-il, une tête à claques, et j'en ai reçu plus que ma part. As-tu remarqué mon nez de travers ? Il a été cassé par un revers de main bien ajusté. On m'a ballotté de ferme en ferme dans le Sud-Charente. À chaque fois j'ai tiré le mauvais numéro.

Ma première fugue date de mes six ans, après deux jours au pain sec et à l'eau au fond d'une souillarde. J'en ai pris l'habitude. Dès que quelque chose n'allait pas, je partais. J'ai passé des nuits d'hiver à grelotter en blouse d'éco-

361

lier derrière un talus. Ma seule bonne année a été celle de mes dix ans, auprès d'un jeune couple de paysans de Jonzac, qui n'avaient pas d'enfant, et m'ont bien accueilli, m'ont aimé. Je les ai aimés moi aussi. Ma présence a rendu ma « mère » féconde. Nous avons attendu ensemble la naissance, qui s'est mal passée. L'enfant mort, ma « mère » a déprimé. On m'a enlevé à cette maison. Je me suis débattu, le jour où on est venu me chercher. On avait un chien, Zigote. Mais je ne vais pas te parler du chien...

Bernard et moi nous arrêtons. Peut-on lire un tel courrier d'une traite ? Il y a trop dans cette lettre, trop de tout, trop de souffrance, trop de misère.

— Veux-tu que j'aille chercher de l'eau ? me demande Bernard.

Il revient avec le pot à eau, les verres.

Je suis retombé dans mes errements chez des gens qui me réveillaient à cinq heures et demie, le matin, pour panser les bêtes et rouler le fumier avant de partir à l'école. C'est là que le directeur de l'Assistance m'a proposé à ma grand-mère, qui a bien voulu de moi. Elle habitait toujours rue Bouillaud. Deux ou trois vieilles comme elle, faisant partie des meubles et rendant service en échange de la nourriture et des prières de la communauté, allaient encore en journée chez les sœurs. Les malheurs ne lui avaient pas donné un visage gai. Je n'ai pas le souvenir de l'avoir vue sourire une fois. Je jouais assez bien de l'harmonica (lui aussi !). Dès qu'elle m'entendait, elle me disait :

— Tu me fatigues avec ta musique !

Elle a été bonne avec moi, sans démonstrations de tendresse, qui n'était pas son genre, toujours inquiète à mon sujet.

— Où étais-tu passé, encore ? Avec qui étais-tu ? Méfie-toi des filles...

Elle ne me disait pas « les filles », elle disait « les drôlesses ». Elle méprisait tout ce qui était féminin.

— Méfie-toi des drôlesses, elles seraient capables de te faire passer dans le feu ! Le serpent ne s'est pas trompé, il a choisi Ève pour lui proposer la pomme.

— Mais tu es une femme, toi aussi, mémé !

— Je le sais, et je n'en suis pas plus fière !

Elle m'a éloigné de notre mère en lui réglant son affaire en quelques formules :

— C'est une coureuse, elle fait la vie !

Ou bien :

— N'essaie pas de l'approcher, mon pauvre petit, tu en aurais honte !

Elle m'a appris ton existence un jour où je

363

lui demandais des nouvelles de ma mère, au cas où elle se serait intéressée à moi.

— C'est une mère dénaturée. Elle a eu une fille avant toi (je ne sais pas si elle m'a dit : d'un Boche ou d'un Allemand), qu'elle a abandonnée aussi. On ne sait pas ce que cette fille est devenue.

Ses yeux de vieille se sont remplis d'eau. J'ai pleuré avec elle.

— On en aura enduré des misères, à cause de celle-là ! Je l'ai sans doute mal élevée. Si elle avait eu un père… Elle s'est essuyée avec le coin de son tablier.

— Méfie-toi, si un jour tu retrouves ta sœur. Ne te laisse pas « embourlinguer ».

— Pourquoi, mémé ?

— Elle pourrait te prendre tout ce que tu as.

Je t'ai déjà raconté cette mise en garde qui ne m'a pas encouragé à te rechercher. J'ai été fraiseur chez Leroy. J'ai rencontré Marie-Claire, et j'ai essayé de tout oublier après notre mariage. Nous avons habité à Soyaux. Peut-être que nous nous sommes croisés un jour en faisant nos commissions rue Marengo ou place du Palais, qui sait ?

Et puis, cinq ans après la mort de mémé, j'avais trente-cinq ans, j'ai reçu une lettre de Rennes, que j'ai perdue, je ne sais comment, à croire que je l'ai fait exprès. Notre mère m'écrivait de sa chambre d'hôpital, sans chantage à l'amour, sans se chercher d'excuses. Elle voulait seulement m'expliquer.

J'ai mis un mois avant de me décider à faire le voyage.

Je te l'ai dit, j'ai été très froid avec elle. Je l'ai traitée comme une étrangère. On lui avait enlevé une tumeur au sein. Elle avait emménagé à Bruz, quinze ans plus tôt, à cause de ce poste de violoniste qu'on lui avait fait miroiter dans l'orchestre de Bretagne. Elle avait épousé un dénommé Cadieu, musicien comme elle, et leur relation semblait surtout chargée de rancœur et d'amertume. Elle était rentrée chez elle en convalescence, déjà très maigre, ne ressemblant plus du tout à la photographie de la belle jeune femme que je t'ai donnée. Elle parlait vite, en mangeant les mots, sans terminer ses phrases, comme si elle craignait de ne pas avoir assez de temps.

— J'ai la bouche sèche, s'excusait-elle. Ce doit être à cause des médicaments. Le médecin m'a dit de boire…

Elle gardait une bouteille d'eau auprès d'elle.

— À une époque, j'aurais préféré du whisky. Je n'en ai plus envie. J'ai dû en boire assez.

365

Je l'ai écoutée sans broncher. Il n'y a qu'au moment du départ, quand elle m'a accompagné à la porte, que je me suis laissé aller. Elle m'a dit, avec une sorte de supplication désespérée dans les yeux, parce qu'elle ne savait pas si je reviendrais :

— Tu vois, Robert, le bilan n'est pas positif. Je devais être programmée pour tout rater.

Elle s'est animée, ses yeux se sont éclairés, et elle m'a chuchoté, pour que son mari n'entende pas au bout du couloir :

— Il n'y a que pendant la guerre que j'ai été heureuse. Reinhard et moi, on s'est aimés comme on n'imagine pas. J'ai passé ma vie à le payer. Excuse-moi, Robert, tu vas me trouver monstrueuse : mais je me demande si ça n'en valait pas la peine…

À cause de ça, j'ai touché sa main sur la poignée de la porte. J'avais la gorge serrée. Je lui ai dit :

— Je reviendrai.

Je suis monté dans ma voiture en me rendant compte qu'elle n'avait pas même évoqué mon père. Et je me suis mis à pleurer…

J'avais voulu faire tout seul ce premier voyage en Bretagne. J'ai beaucoup pleuré sur le chemin du retour.

Je suis revenu la voir un mois plus tard. Elle

allait mieux, avait recouvré de l'appétit, se croyait tirée d'affaire parce que les médecins ne lui avaient pas prescrit de chimio.

— Heureusement ! J'aurais perdu tous mes cheveux. Je sais déjà ce que c'est que d'être tondue.

C'était en février. Elle a délayé de la pâte à crêpes. Elle allait vite, un paquet de nerfs. Elle cassait beaucoup, disait-elle. Je lui ai demandé qui était mon père.

— Oh ! pas grand-chose, le fils du plus gros magasin de fournitures pour la marine de La Rochelle, Bob Mahaut. Son grand-père, un mulâtre de la Guadeloupe, a commencé avec une baraque en bois et une charrette à bras dans le quartier de l'Encan. Bob m'a laissée tomber huit jours après ta naissance. Il t'a donné son nom, c'est à peu près tout ce qu'il a fait pour toi. Cela ne lui a pas porté chance. Il s'est écrasé avec une fille contre un platane, six mois plus tard, au volant de son Aston Martin sur la route de Rochefort.

À ce moment-là, sans doute pour me venger de ce père indigne qu'elle venait de me donner, je lui ai révélé, la gorge serrée, le secret que ma mémé m'avait confié quelques semaines avant sa mort...

— Je ne peux pas partir avec ce poids sur la

conscience, m'a-t-elle confessé alors qu'elle ne se levait plus qu'une heure ou deux l'après-midi. N'en parle jamais à personne, surtout pas à ta mère si un jour tu la revois...

...En 1947, un matin du mois de novembre, il faisait froid, un homme et une femme ont frappé à cette porte. Ils marquaient bien. On voyait que ce n'était pas n'importe qui. L'homme surtout, un grand aux yeux bleus et aux cheveux d'argent ondulés jusque sur les tempes. Il portait un long manteau, en poil de chameau. Ils se sont approchés de la cuisinière pour se chauffer. J'avais déjà deviné à leur accent de qui il s'agissait, et je ne leur ai pas offert de s'asseoir. Il faut comprendre. Ils me faisaient peur. La guerre était finie depuis deux ans seulement, et les journaux racontaient les horreurs des camps de la mort. Il m'a demandé, en français — elle ne devait pas le parler, elle comprenait puisqu'elle hochait la tête. Elle était grande aussi, et brune.

— Vous savez que notre fils, Reinhard, était l'ami de votre fille ?

Je n'ai pas répondu.

— Il nous a écrit avant de quitter Angoulême avec la colonne du général Lester...

Cet homme a cherché dans la poche de son manteau, et en a sorti une lettre qu'il a voulu

368

me montrer. Il a suivi les lignes du doigt, et m'a traduit : « Je pars d'Angoulême en y laissant le meilleur de moi-même. Françoise, au sujet de laquelle je vous ai déjà écrit, est enceinte. Je suis sûr que l'enfant est de moi. Le chemin qui nous ramène vers l'Allemagne va être dangereux, et peut-être que je ne reverrai jamais la maison. Aussi je vous demande, chers parents, si je suis tué, et si vous êtes épargnés, de reconnaître cet enfant. »

La cuisinière ronflait. Ils devaient étouffer avec leurs manteaux. Moi j'étais glacée. Comme je me taisais, il m'a dit, doucement :

— Nous sommes venus reconnaître l'enfant de Reinhard, qui a été tué avec sa colonne sur la route de Châteauroux.

Alors je me suis tordu les mains dans le dos, et je me suis reculée jusqu'au mur en disant :

— Il n'y a pas d'enfant. L'enfant est parti, envolé. Françoise a été enfermée, en prison. L'enfant est né trop tôt, mort.

L'Allemande a compris. Je me suis mise à pleurer avec elle. J'avais honte de mentir. Je pensais que j'avais tort. Mais l'épuration n'était pas finie. Pétain était à l'île d'Yeu. On recevait de l'huile et du café contre des tickets. Les gens disaient dans mon dos que j'étais la mère d'une pute de Boche. Je me vengeais

369

en enlevant à ces Allemands l'espoir de retrouver leur fils à travers l'enfant. L'homme a entouré l'épaule de sa femme.

— Elle voulait tellement embrasser ce petit enfant ! Est-ce que votre fille est à Angoulême ? Nous pourrions la voir.

J'ai répondu sèchement :

— Elle n'est pas là. Après ce qu'elle a subi, elle est partie ailleurs.

L'Allemand a relevé le menton. Il a dit à sa femme qu'ils allaient partir. Je les ai accompagnés à la porte. J'étais toute petite et misérable à côté d'eux. Je leur arrivais tout juste à l'épaule. Je ne leur ai demandé ni comment ils s'appelaient, ni d'où ils étaient. Ils sont partis. Ils auraient sûrement été de bons grands-parents pour l'enfant de Françoise...

J'étais assis à la table de la rue Bouillaud, près de grand-mère, qui se mourait du cancer qui a emporté notre mère vingt ans plus tard. Elle a sorti sa main décharnée de ses manches et m'a saisi par le poignet :

— Aujourd'hui ça ne se passerait pas comme ça ! Est-ce que tu me comprends ? Je me suis confessée au curé. Mais qu'est-ce qu'il va dire, le bon Dieu, quand je vais me trouver devant lui : « Tu n'as même pas offert une chaise aux grands-parents de ta petite-fille... »

Notre mère m'a écouté raconter cette histoire sans bouger. Nous avions fini les crêpes. Elle a versé dans mon verre le cidre qu'elle était allée chercher à la cave. Son mari, dans le jardin, nous laissait parler tranquilles. Elle était rouge. Je l'avais félicitée pour sa bonne mine. Elle avait secoué la tête :

— C'est la cortisone.

Elle m'a paru plus rouge encore. Elle a essuyé son front avec sa serviette.

— Je n'ai été bonne qu'à faire des bêtises !

Je ne comprenais pas.

— Je n'en veux pas à ma mère. Te rends-tu compte que si je ne m'étais pas conduite comme une idiote, ma vie et celle de ma fille auraient été complètement changées ! Reinhard m'avait parlé de ses parents. Il m'avait donné leur adresse. Je ne leur ai pas écrit. Je me suis enterrée à La Rochelle, et j'ai abandonné ma fille.

— Tu attendais des nouvelles de Reinhard.

Elle m'avait demandé de la tutoyer. Elle a poussé un soupir qui semblait remonter le temps.

— Je n'attendais plus rien. Je crois que j'étais déjà morte. J'ai joué la comédie pendant quarante ans.

— Tu as joué de la musique.

371

— De la musique, oui.

Elle a fixé sur moi son regard éteint.

— Est-ce que tu vas guérir, toi, d'avoir été abandonné ?

Je n'ai pas bougé de ma chaise, mais je lui ai répondu :

— Je ne suis plus abandonné, puisque tu es là, en face de moi.

Elle s'est excusée.

— Il faut que j'aille aux cabinets.

En passant près de moi, elle s'est appuyée sur mon épaule.

J'ai décidé de déménager en Bretagne pour me rapprocher d'elle. Marie-Claire l'a bien voulu, et nous ne le regrettons pas. La maladie a remis ça, après quelques mois de rémission. Nous étions installés à Fougères. J'avais trouvé du travail. Elle m'a téléphoné un soir : « Robert, j'ai passé la radio, tout à l'heure. Je rentre à l'hôpital demain. Ils m'opèrent tout de suite. Mon autre sein est pris. Je m'en fous. Ce qui compte pour moi, c'est de t'avoir retrouvé. Embrasse bien les filles. »

Son état s'est constamment aggravé ensuite. Elle a tout eu, les rayons, la chimio. Ses cheveux sont tombés. Elle a résisté pourtant. Elle me disait, avec une étincelle dans les yeux : « Encore un jour de plus ! »

*Elle m'a parlé de toi, la veille de sa mort :
« Je pense à ta sœur. Est-ce que tu crois que
ça a du sens si je dis que j'offre toutes ces saloperies pour elle ? Laisse-la tranquille. N'essaie pas de la retrouver. Elle n'a pas connu,
comme toi, sa grand-mère. Elle s'est construite sans nous. Mais s'il arrivait qu'un jour vous
vous retrouviez, dis-lui bien, surtout, qu'elle est
une enfant de l'amour. »*

*Voilà. Je vais m'arrêter là, aujourd'hui. Nous
aurons sûrement encore beaucoup à nous dire.
Cela suffit pour une première lettre. J'ai même
hésité à t'en écrire tant. Mais j'ai pensé que si
je commençais, il fallait que j'aille jusqu'au
bout. Tu as, je crois, la force de le supporter,
Bernard est avec toi. Notre mère ressemblait
finalement davantage à notre grand-mère
qu'elle ne le croyait. Elle a osé une fois, et
passé toute sa vie à se punir.*

*Je t'embrasse, Renée, et Bernard, et les en-
fants. C'est drôle, j'ai l'impression de poursuivre avec vous une conversation commencée
depuis très longtemps.*

Est-ce qu'on peut être autrement que prostré
après une pareille lecture ?

On est là. Les feuillets de la lettre de Robert,

373

répandus sur le lit, me font l'effet de cendres du passé, et nous vivons une veillée funèbre. Bernard observe ses doigts. Moi, par la fenêtre, j'aperçois le cerisier plein des gouttes rouges des cerises mûres. Je regarde la photo sur la table de nuit.

J'imagine les crachats sur ce visage, la tondeuse dans ces cheveux, et la croix gammée sur ce front. À ce moment-là, j'étais dans son ventre ! J'ai l'impression d'avoir le crâne tondu. Je passe la main sur ma tête, en frissonnant. Et puis je pense aux occasions manquées et j'égrène une succession de douloureux « si ». Si ma grand-mère… Si ma mère… si… si… Mes fantômes se bousculent pour revenir.

Mais une autre réalité plus forte qu'eux s'impose. J'ai retrouvé une vraie mère, une vraie femme, avec un destin.

Sa faute aura été d'aimer au mauvais moment. Je suis donc bien fille de Boche. Je n'en ai pas honte, je suis *l'enfant de l'amour*. Nous ne vivons pas une veillée funèbre. Au contraire, on vient de me rendre ma grand-mère Simone, et mes grands-parents paternels, un homme aux boucles d'argent, une grande femme brune. J'imagine déjà, à travers eux, Reinhard, mon père. Peut-être Françoise en a-t-elle dit davantage à Robert sur lui. Il faudra que je l'interroge. Peut-être mes grands-parents sont-ils encore vivants !

Je pense à l'arbre généalogique de Richard Duval à Potsdam, et à vous, les enfants, qui avez retrouvé Robert. Vous allez m'aider. Bernard rassemble les feuillets de la lettre.

— Veux-tu que nous sortions ?

Il frappe dans ses mains pour chasser les merles du cerisier. Il a pourtant suspendu des tortillons d'argent qui miroitent au soleil, et Pompon guette sous l'arbre. Nous roulons dans la venelle, et l'allée des tilleuls du logis. À chaque fois que je passe près de la porte piétonnière, je tourne la tête, comme si j'allais y surprendre une lettre. Je tends la main vers le parterre de roses rouges devant la grille du logis.

— Tu m'en cueilles une ?

Bernard sort son couteau. Je tends l'oreille. Il me semble entendre, parmi le concert des oiseaux, le chant d'un coucou, au loin dans la vallée. Je ne le supporte toujours pas. Je murmure la parole de ma mère en respirant le parfum de la rose :

— « Je me demande si ça n'en valait pas la peine… »

Et Bernard me répond.

— Ça en valait la peine.

Le logis flotte sur ses assises dans la lumière

de juillet. Il n'a plus de réalité. On dirait un rêve. Je ferme les yeux. Peut-être que lorsque je
les ouvrirai il ne sera plus là ? Nos vies ne res-
semblent-elles pas à cela, une succession de
songes ? L'air a le parfum de cette rose, l'odeur
capiteuse d'un jour d'été. Je rouvre les yeux.
Le logis est encore là, bien matériel, dans la
vibration de la chaleur.

Nous passons entre les palmiers et poussons
la grille. Bernard a continué d'aménager la salle de bains de l'étage. Elle est presque finie. Je
l'interroge :

— Tu me la montres ?

Je noue mes mains autour de son cou. Il me
soulève et soupire en peinant à me transporter,
d'une marche sur l'autre.

VI

Le fauteuil

21.

Voilà. Il y a plus d'un an que ces derniers événements se sont déroulés. Je suis dans mon fauteuil devant mon bureau de capitaine en teck et cuivre et j'écris encore, pour vous, les enfants.

Nous avons déménagé au printemps dernier. Et bien que nous nous y soyons préparés, cela ne s'est pas fait sans un serrement de cœur. C'était comme si nous déplacions le centre du monde.

Notre chambre est à côté de la grande pièce de la salle à manger. Le logis se révèle une résidence idéale pour une infirme. Je circule sans peine dans le vaste couloir, de la chambre à la cuisine. Je sors dans la cour et fonce à toute vitesse sous le magnolia pour aller dans la buanderie et le garage.

Mme Brégeon a été une compagne fidèle au goût sûr pour l'aménagement des pièces. Avec l'argent de Mauvoisin nous avons fait appel à des ouvriers. Nous avons restauré les boiseries de chêne du XVIIIe siècle, acheté pour le salon des canapés et fauteuils d'époque Louis XV, des tables et commodes de serpentine. Ça fait un peu nouveaux riches, mais nous avons assez tiré la langue.

Des panneaux en treillis de cuivre protègent les livres encaissés dans les murs du couloir. La collection des *Époques de la nature* de M. de Buffon occupe la place centrale en face de la porte de notre chambre. Je me suis promis de les lire, cet hiver, quand j'aurai fini de vous écrire. Nous ne nous sommes occupés que de la moitié du logis. Vous aménagerez le reste à votre goût, les enfants, si vous le voulez, quand vous le voudrez. J'ai commencé à prendre des notes sur tout ça et au fur et à mesure des événements. Je reprends des passages, recompose. Celle qui écrit aujourd'hui n'est plus la même qu'au début. Physiquement bien sûr, mes jambes me font toujours défaut (quand je rêve, je rêve que je marche, je suis sur mes jambes, mes belles jambes de vingt ans), mais mon visage aussi a changé. Je n'ai pas cessé de me soumettre à l'épreuve du miroir. Je ne voudrais pas subir ces traitements à la mode, au collagène, qui gomment les marques du temps. Mes rides sont mes cicatrices, et je n'en ai pas honte. J'ai vieilli. La ride verticale entre les sourcils s'est approfondie. Mon menton me paraît plus fort. Pourtant l'examen ne me désole pas, à cause de mes yeux. Ils n'ont pas changé de couleur, mais j'y trouve quelque chose qu'ils n'avaient pas avant. Ils rient. J'étais une femme triste, et celle que je regarde est gaie. Je pense qu'ils brillent de l'éclat de leur généalogie. Je me rappelle le dialogue qui me plaisait tant, même si je ne le comprenais pas : « Sans naître de nouveau, on ne peut pas voir le Royaume… » « Peut-on rentrer dans le sein de sa mère, et naître une seconde fois ? » Je crois que je le comprends un peu mieux aujourd'hui. Est-ce un hasard, si je m'appelle Renée ? La porte a été étroite, et la renaissance douloureuse. Mais je suis entrée maintenant, comme je le souhaitais, dans le Royaume de notre grande maison aux fenêtres comme un balcon au bord du ciel.

L'hiver précoce se venge du trop bel été. La Charente, grosse des lourdes giboulées de début octobre, a débordé. La route des ponts a été coupée. Les peupliers ont eu les pieds dans l'eau. Vu de Tourtras, Martignac semblait une île.

Maintenant il fait froid. Les matins sont blancs de givre. On n'a pourtant pas encore passé La Toussaint. Les géraniums que Bernard n'a pas rentrés ont gelé. Les derniers dahlias ont bouilli dans les parterres. En quelques jours les feuillages du parc ont changé de couleur. J'ai vu le chêne d'Amérique frissonner comme un paon et tourner au rouge lie-de-vin.

Je suis à mon bureau face à la fenêtre, et je monte la garde, guettant l'apparition d'un cavalier dans la vallée, ou d'une voile sur la rivière. L'automne a le mérite de dégager l'espace. Les peupliers se sont dépouillés en moins d'une semaine après les « dérivées ». Les routes et les ponts de la vallée dissimulés par les feuillages ont réapparu, ainsi que la tour carrée de l'église de Martignac. Les vignes sur les collines se sont mises à ruisseler de jaune à mesure que les machines à vendanger avançaient.

Avant, je vous l'ai déjà écrit quelque part, j'avais une nature active, je ne prenais pas le temps de m'arrêter. Maintenant, bien obligée, j'ai découvert le plaisir d'être assise à la fenêtre. J'ai noirci beaucoup de papier. Mon tricot s'achève, et je ne vois pas venir sans appréhension le jour proche où je mettrai le point final. Bernard entrouvre la porte :

— Ça va ? Tu as besoin de quelque chose ?

Il s'approche en souriant, contemple les feuilles sur la table.

— Tu as encore écrit tout ça ? N'en raconte pas trop.

— Tu liras lorsque j'aurai fini.

Il a commencé de peindre les volets du logis dans le hangar. Il sent l'huile. Sa blouse est maculée de peinture grise.

J'écris pour vous, les enfants. Je ne vous donnerai pas ces pages tout de suite. C'est trop sensible, comme la cicatrice de ma blessure que j'agace du doigt en écrivant. Vous lirez quand je serai vieille. Peut-être même que vous devrez attendre que je sois partie. On reste une enfant abandonnée jusqu'après la mort, puisque mon acte de décès portera la mention « née de père et de mère inconnus ». Mon manuscrit complétera les papiers officiels.

On nous a appris l'existence d'un service d'information sur l'armée allemande à Berlin, la Wast, à une adresse devant laquelle nous sommes passées plusieurs fois, Catherine. J'y ai écrit. Peut-être qu'avec les renseignements dont on dispose, on réussira à remonter jusqu'à la famille de mon père. Qui sait ? Me rapprocher de mon père devrait achever de rafistoler cette partie de moi-même qui continue de boiter. Je ne désespère pas, comme je veux croire encore au miracle de retrouver mes jambes.

Les pelleteuses et les camions sont arrivés hier. Ils cognent contre le calcaire pour creuser le bassin de la piscine dans l'avant-cour. Elle sera couverte et chauffée. Je pourrai m'y acharner à mes exercices, en luttant de toutes mes forces pour réaliser le miracle.

Mes vieux cauchemars me réveillent encore en sursaut avant l'aube parfois, comme par le passé. Ma position dans le lit, mes jambes mortes me ramènent à la réalité. J'ai pris du poids, à être toujours assise. Je me réprimande : « Calme-toi. Tu n'as plus rien à craindre. Tu es couchée dans le logis. » Je me blottis comme je peux contre Bernard. Parfois il se réveille. L'âge ne le rend pas avare d'amour, qui nous tient lieu de patience.

Pompon est étalé devant moi, sur ma table, au ras de ma feuille de papier. Son ventre palpite. Il dort. Ou il feint de dormir. Il suffit que je déplace une roue de mon fauteuil pour qu'il se réveille, et lève la tête. Je me méfie de ce muet compagnon d'écriture aux yeux verts qui a été le premier à connaître le corbeau, puisqu'il l'a vu scier les poutres du grenier où il a été enfermé.

Le bouchon de la cocotte-minute, qui tourne à trop vive allure dans la cuisine, m'appelle

383

pour l'instant. J'ai mis des endives à cuire. Il faut que je pose ma plume et aille baisser le feu. J'attends encore quelques secondes. Je viens de pianoter sur l'ordinateur auquel je me suis mise pour saisir mes écrits, et je visite ma boîte aux lettres. L'écran me répond : « Vous n'avez pas de nouveau message. » Tant pis. Bernard a descendu du grenier le buste de bronze de l'ingénieur et l'a installé sur le guéridon du couloir. On dirait le général Boulanger saluant le peuple de Paris. J'ai l'impression qu'il ne m'aime pas. Je lui dis :

— Serez-vous le dernier à m'appeler la petite Coucou ?

Je tourne son buste la face contre le mur. Des gouttes de pluie rayent le gris de l'air derrière le carreau. Bernard revient, regarde le message sur l'écran.

— Pourquoi ne ferions-nous pas le voyage à Berlin ?

Les ailes blanches des éoliennes de Lüneburg me tournent dans la tête. Mon fauteuil est prêt à prendre la route pour rechercher mes grands-parents et mes cousins allemands, s'ils existent.

Mais pour l'heure, la cocotte-minute insiste.

Active tes roues, cuisinière ! Tes endives vont être réduites en bouillie. Je les servirai avec un pintadeau au cognac. Bernard aime ça.

Fin

Remerciements à celles et ceux que j'ai rencontrés pour écrire cette histoire. Ils se reconnaîtront.

Table

1. Le toit 7
2. Les murs 113
3. Le parc 203
4. La chambre 237
5. Le lit 335
6. Le fauteuil 377

1.
2.
3.
4.
5.
6.

Impression réalisée par

LIBERDUPLEX S.L.
à Barcelone (Espagne)

pour les **EDITIONS V.D.B.**
84210 La Roque-sur-Pernes

Dépôt légal : février 2005